NE DITES PAS À MA MÈRE
QUE JE SUIS HANDICAPÉE,
ELLE ME CROIT
TRAPÉZISTE DANS UN CIRQUE

CHARLOTTE de VILMORIN

NE DITES PAS À MA MÈRE QUE JE SUIS HANDICAPÉE, ELLE ME CROIT TRAPÉZISTE DANS UN CIRQUE

BERNARD GRASSET
PARIS

ISBN 978-2-246-80787-2

*On m'a demandé d'écrire un livre. Pourquoi ?
Je n'en sais rien.*

*— Vous qui vivez des choses si extraordinaires
et qui avez tant d'humour ! Ce sera merveilleux !*

*Le problème, c'est que je ne vis rien d'extraordi-
naire. Je suis juste en fauteuil roulant depuis que
je suis petite. Et si toutes les personnes handicapées
de France devaient écrire un livre, on serait vraiment dans la merde.*

*— Mais si, vous verrez ! Ça sera l'occasion de
parler du handicap sous un angle jeune et novateur ! Une façon de faire changer le regard des
gens !*

*« Un angle jeune et novateur », « changer le
regard des gens », c'est ce que j'entends tous les
jours dans l'agence de publicité où je travaille,
sauf que d'habitude, on ne me parle pas de handicap mais de pots de yaourt.*

1.

Quand j'ai annoncé à mon entourage que j'avais décidé de travailler dans la publicité, tout le monde s'est inquiété, pudiquement.

— La pub !? Tu es sûre ? Mais c'est un métier tellement superficiel ! Les gens ne jugent que sur l'apparence !
— Oui et alors ?
— Alors rien ! Mais bon… voilà quoi !
— Serais-tu en train d'insinuer que je suis moche ?
— Mais non enfin ! Pas du tout ! Mais bon… voilà quoi !

« Voilà quoi ! »

Quand j'étais petite, je voulais être chanteuse de comédie musicale. Effet de compensation sans doute… J'ai passé des dizaines de tests d'orientation avec toutes les méthodes possibles et imaginables, pour choisir le bon parcours scolaire et universitaire.

C'est comme ça qu'un jour, je me suis retrouvée chez une dame qui habitait dans une petite forêt à des kilomètres de Paris. « Elle fait des miracles, tu verras ! » avait entendu dire ma mère. Cette dame m'a fait faire tout et n'importe quoi. Dessiner un arbre les yeux bandés, puis les yeux ouverts, écrire une histoire avec le mot « bouchon », et même désigner parmi des portraits de fous internés dans un asile, ceux que je trouvais sympathiques et ceux qui semblaient repoussants. Apparemment, toutes les personnes de la même catégorie professionnelle seraient attirées ou dégoûtées inconsciemment par les mêmes photos. Pourquoi pas. Puis elle m'a mis un petit paquet d'images dans la main. Je devais choisir trois métiers que je voudrais faire, et en écarter trois que je ne ferais pour rien au monde. J'ai commencé par ceux qui ne me disaient rien du tout. Religieuse, bouchère et caissière. Voilà. Mais au moment de choisir mes métiers de rêve, je me suis retrouvée bien embarrassée. Toutes les activités qui me plaisaient étaient inenvisageables pour une personne avec ma condition physique. J'avais peur que la conseillère pense que je me moquais d'elle, ou pire, que j'étais bête. J'imaginais déjà la scène, « Mais enfin, tu sais bien que tu ne peux pas faire ces métiers ! », prononcé avec moult condescendance et gentillesse. Hors de question, cela aurait été bien trop humiliant. J'ai envisagé de sélectionner d'autres métiers, des métiers statiques, de bureau, ennuyeux à mourir, mais réalistes. Et finalement je me suis dit que je n'avais pas passé trois heures à dessiner des arbres magiques pour rien, donc autant être honnête.

Trapéziste dans un cirque. Danseuse étoile. Femme d'un riche rentier.

Elle est restée de marbre. J'ai senti naître un silence qui aurait pu devenir gênant.

— Pourquoi trapéziste ? demanda-t-elle en me regardant par-dessus ses lunettes, d'un air mi-sceptique mi-sévère, prête à prendre des notes.

— Parce que j'aime bien les justaucorps à paillettes.

Travailler dans la publicité, c'était finalement le meilleur compromis que j'avais trouvé pour pouvoir porter un justaucorps à paillettes assise derrière un bureau.

2.

J'avais rendez-vous le mercredi 21 novembre à 9 h 30 au 35 passage du Bureau dans le onzième arrondissement. Un entretien d'embauche passage du Bureau, je trouvais cela amusant, comme un signe annonciateur un peu fataliste de ce qui m'attendait. Que pouvait-on imaginer faire d'autre dans un endroit avec un nom pareil ? J'avais l'impression que ce passage voulait me rassurer, me dire « tu es au bon endroit », et j'aimais bien cela car, en y repensant, je ne me rappelais pas avoir déjà entendu un nom de rue me parler. C'était comme vivre dans un livre pour enfants, habiter rue de Maisonneuve, travailler passage du Bureau, aller à la boucherie Sanzot, aimer à l'hôtel Amour et mourir rue de la Grande-Truanderie.

Je déteste passer des entretiens en hiver. Pourquoi ? Parce que je ne peux pas enlever mon manteau toute seule. J'ai besoin que quelqu'un m'aide. Quand on connaît un peu la personne en face de soi, ce n'est pas un problème. Mais arriver à un rendez-vous professionnel en disant « Charlotte, enchantée. Pouvez-vous me déshabiller ? », ce n'est pas franchement du meilleur goût. Ni du meilleur effet, bonjour l'assistée. Deux solutions s'offrent alors à moi : garder mon manteau et mourir de chaud, ou aller sans manteau et mourir de froid. J'opte bien souvent pour la deuxième. Deux jours avant, je me gave de vitamines pour limiter les dégâts du froid, et le jour J je demande à mon chauffeur de mettre le chauffage à fond dans la voiture.

Oui, j'ai un chauffeur. Mais je vous arrête tout de suite, ce n'est pas du tout ce que vous imaginez. Il ne s'appelle pas Nestor, ne conduit pas de Mercedes avec des gants, et ne m'appelle pas Mademoiselle. Il s'appelle Claude, mais préfère répondre au nom de « M'sieur Pichard ». Il conduit une camionnette blanche, porte un bas de survêtement gris, une veste polaire rouge et il ne m'adresse tout simplement jamais la parole. Il a un gros chien sur le siège à côté de lui qui lèche de vieux mouchoirs sales oubliés par terre et parfume toute la voiture, et il s'énerve à chaque feu rouge en proférant des injures racistes qui me mettent hors de moi et me font honte. Il claque les portières de sa camionnette tellement fort, comme s'il cher-chait à signifier son antipathie au monde entier, que, en général, je lui demande de me déposer avant l'adresse exacte pour éviter de trop me faire remarquer en sa présence. Je préférerais prendre le métro, mais ce n'est pas possible, alors je le laisse me conduire à droite à gauche en écoutant Rire & chansons, sa radio préférée et celle que, moi, je déteste le plus. Son métier exact c'est « transporteur », mais par souci de coquetterie je l'ai enregistré à « chauffeur » dans mon téléphone portable, histoire de me rappeler que malgré cette jolie mise en scène je ne suis pas un paquet à livrer.

Nous avons la relation la plus hypocrite qui puisse être. Tous les matins, je sors de chez moi et viens l'interrompre dans sa lecture de *L'Equipe* avec un air un peu gêné. Il sort alors de sa voiture en s'efforçant de me dire bonjour sur le ton le plus obséquieux possible, je lui réponds en me fendant d'un sourire forcé, et à partir du moment où il a claqué la porte du coffre derrière moi, nous coupons court immé-diatement à notre fausse cordialité et passons tout le reste du trajet dans l'ignorance la plus totale. Au début, nous essayions de faire des efforts, de faire semblant de nous intéresser à la vie de l'autre, « vous avez des enfants ? », « vous habitez loin ? », « vous faites des études de quoi ? », « quel temps ! », mais petit à petit nous avons convenu tacitement que ce n'était plus la peine de simuler. Il a besoin de moi pour gagner sa vie, j'ai besoin de lui pour me déplacer, et ça s'arrête là. Ce n'est pas que nous nous détestions, c'est juste que nous ne nous apprécions pas. Mais ce n'est pas bien grave. Le soir, quand il me raccompagne chez moi, le même ballet recommence sur fond de Merci-beaucoup-bonne-soirée-à-demain, et il redémarre en claquant la portière.

En arrivant devant le 35 passage du Bureau, j'ai été surprise de voir que rien ne signalait la présence d'un bureau à cet endroit-là. Cela ressemblait à un immeuble particulier, avec une grande porte cochère bleue, et pas la moindre plaque sur le mur indiquant le nom d'une entreprise. J'ai alors cherché mon téléphone pour relire le mail de confirmation. C'était bien l'adresse indiquée. Je m'étais pourtant assurée que les locaux étaient accessibles pour mon fauteuil, mais là, les choses s'annonçaient mal.

C'est toujours un peu délicat de poser la question concernant l'accessibilité du lieu d'un entretien avant d'avoir rencontré la personne en question. C'est un exercice d'équilibre périlleux que j'ai mis du temps à mettre au point. Evidemment, mon CV ne fait aucune mention de mon handicap pour les deux raisons suivantes : le recruteur pourrait écarter ma candidature à la vue de cette simple mention ou, au contraire, je pourrais bénéficier de ce qu'on appelle la « discrimination positive » et n'être pas embauchée pour mes compétences réelles mais pour remplir un quota, et ainsi éviter à l'entreprise de payer une amende. J'ai accepté une fois d'être recrutée dans le cadre d'une « mission handicap » par une grande entreprise. Je ne me suis jamais autant ennuyée de ma vie. Ils m'avaient créé un emploi fictif, sur mesure, où rien de ce que je produisais ne verrait jamais le jour, tout étant en réalité destiné à la poubelle. Cela leur coûtait moins cher de me verser un salaire pour rien que de payer la fameuse taxe. Après six mois passés à faire la plante verte, je me suis promis que plus jamais je ne me ferais recruter pour mon handicap. C'était un peu comme être un produit soldé, démodé, et se balader avec une pancarte « Choisissez-moi ! Vous paierez moins ! » dans l'espoir qu'on me prenne à la place des articles de la nouvelle collection que, au fond, on préfère de loin.

Mais dans un processus de recrutement, je ne peux pas non plus m'amuser à dissimuler mon handicap jusqu'à l'entretien pour les deux raisons suivantes : si l'entreprise se trouve en haut d'un escalier sans ascenseur, j'aurais l'air bien maline coincée en bas. Et quand bien même il y aurait un accès, je ne voudrais pas prendre mon interlocuteur au dépourvu et créer une situation de malaise. La solution que j'ai trouvée est toute simple, j'envoie mon CV et quand on me rappelle pour convenir d'un rendez-vous, j'accepte, attends la confirmation, et demande l'air de rien « Au fait, vos locaux sont-ils accessibles à un fauteuil roulant ? », comme ça le recruteur ne peut pas faire demi-tour et, en même temps, j'ai été honnête. Parfois je connais déjà la réponse, mais pose malgré tout la question juste pour les prévenir et ainsi sous-entendre « Je suis en fauteuil, mais ne t'inquiète pas, ça va bien se passer ».

Cette fois-ci, la personne m'avait poliment (r)assuré(e) : « Aucun souci, j'ai vérifié. » Seulement cette porte cochère passage du Bureau annonçait clairement un accès sinueux. Déjà

17

pour passer le pas de la porte, j'étais bien embêtée. J'ai donc rappelé mon chauffeur qui était
parti se garer un peu plus loin, dans l'espoir
qu'il m'aide à trouver une solution. Je lui expliquai que je ne pouvais pas franchir ce seuil,
et qu'il fallait ouvrir la grande porte pour que
je puisse passer. Impossible. La poignée était
cadenassée. Ça commençait bien… Il partit
donc chercher la gardienne de l'immeuble en
soupirant de toutes ses forces. Ça y est, j'étais
en retard pour mon rendez-vous, et je restais
là à attendre sans manteau sous le ciel gris et
froid de novembre, abandonnée sur le trottoir.
Je commençais à claquer des dents quand il est
revenu, avec la gardienne et son trousseau de
clés, tous les deux au pas lent du chameau.

Enfin, j'étais entrée dans le hall ! Je demandai
alors à la gardienne de m'indiquer où se trouvait l'entreprise que je cherchais.

— L'agence Carrousel ? Ah mais j'en sais
rien, moi ! Jamais entendu ce nom-là ici !

Je commençais à détester le passage du
Bureau. J'avais froid, et je voulais rentrer chez
moi. C'était trop compliqué. À tout hasard je
me risquai :

— Et Madame Gautier ? C'est avec elle que
j'ai rendez-vous.

— Ah Madame Gautier, si bien sûr! Elle habite dans la maison au fond de la cour!

Ce n'était donc pas un bureau, mais son lieu de domicile. Toute la magie du passage du Bureau s'évanouit. J'avais rendez-vous sans le savoir *chez* mon hypothétique future patronne un mercredi à 9 h 30. Tout à coup, j'ai eu peur qu'elle soit en pyjama, et qu'elle me propose un petit déjeuner. Je me demandai ce qu'il fallait répondre dans ce cas.

Monsieur Pichard m'accompagna au fond de la cour pour sonner à l'interphone, et il me laissa. Une femme étonnamment jeune et souriante vint m'ouvrir. Elle était en pyjama. « Bonjour Charlotte, Mathilde Gautier, enchantée! Je vous en prie, suivez-moi. » Elle me fit traverser un petit jardin avec des jouets d'enfant éparpillés un peu partout. Et là, panique totale, une énorme marche pour entrer dans sa maison. Aïe. Ce n'était pas du tout accessible, j'étais coincée dehors et, pour couronner le tout, il commençait à pleuvoir.

La scène qui a suivi relève presque de l'absurde. Bien embêtée et un peu gênée, Mathilde Gautier se mit à énumérer une liste infinie de solutions toutes plus aberrantes les unes que les autres pour me faire pénétrer chez elle.

« Et si je mettais plein de chiffons par terre pour amortir la marche ? Non ! Et si je repliais les pieds de la table en fer de la terrasse pour faire une rampe ? Une planche à repasser ! Voilà ce qu'il nous faut ! Ah non, trop étroit. Et si je vous portais et on laisse votre fauteuil dans le jardin ? Sauf qu'il pleut… Voyons voir… » Elle s'agitait dans tous les sens. Cette femme était une pile électrique qui disait à voix haute absolument tout ce qui lui passait par la tête. Soudain, elle fit volte-face et disparut dans sa maison en me laissant dans le jardin sans rien dire. Elle revint rapidement avec une grosse veste en laine dans une main qu'elle me posa maternellement sur les épaules, « vous avez l'air frigorifiée, tenez », et une caisse de vin dans l'autre. Elle dégaina un tournevis et un marteau de je ne sais où, et se mit à frapper énergiquement chaque clou des quatre faces de la caisse en bois pour les retirer. Je n'avais pas la moindre idée de ce qu'elle était en train de faire.

Depuis le début, j'avais à peine eu le temps de m'excuser, tant elle n'avait cessé de s'agiter dans tous les sens. Je me sentais terriblement gênée de tout ce remue-ménage. Je me dis qu'après une telle pagaille, elle ne me prendrait certainement pas, ou alors uniquement

pour se faire pardonner. Je me sentais tellement inutile de rester plantée là à observer cette
femme à quatre pattes sous la pluie en train de
se décarcasser pour que je passe un entretien.
Si ça se trouve, elle ne retiendrait même pas
ma candidature. J'hésitai à lui proposer une
solution alternative. Aller dans un café ? C'était
sûrement plus simple. Et puis en fin de compte
je me dis qu'il était trop tard pour faire demi-
tour, qu'elle avait déjà entrepris beaucoup, et
que j'aurais dû y penser avant. C'était moins
gênant de la laisser par terre sous la pluie maintenant qu'elle y était, plutôt que de lui avoir fait
faire ça pour rien.

Au bout de quelques minutes, elle se releva,
s'essuya les mains sur les fesses de son pantalon de pyjama et s'écria d'un air enjoué :
« Tadaaaa ! » Elle avait consciencieusement
retiré chaque clou de la caisse de vin qu'elle
était allée chercher dans sa cave afin d'en
séparer les quatre planches pour en faire des
petites rampes. Je m'empressai de la remercier
sur le ton le plus enthousiaste et reconnaissant
possible mais, au fond de moi, je savais que
ce n'était pas la bonne solution. Les planches
allaient craquer sous le poids de mon fauteuil,
c'était évident. Mais impossible de lui dire cela
après tout le mal qu'elle s'était donné, alors je

fis comme si de rien n'était, et fonçai tête baissée en priant pour que son installation tienne
jusqu'à la fin de l'entretien et que je ne reste
pas bloquée chez elle sans pouvoir en ressor-
tir. J'entendis un craquement inquiétant mais,
par je ne sais quel miracle, elles n'ont pas cédé.

Quand la gardienne m'avait dit « la maison
au fond de la cour », je ne sais pas pourquoi
j'avais imaginé une petite bicoque modeste.
L'extérieur de la maison de Mathilde Gautier
ne permettait pas vraiment d'en imaginer l'intérieur. Mais en la suivant, je fus très surprise
de découvrir un loft immense, avec une grande
véranda, et deux étages en mezzanine. C'était
un mélange assez étonnant entre un atelier
d'artiste new-yorkais et un riad marocain. Je
me sentis tout à coup très loin de ce que j'avais
rêvé la veille du passage du Bureau dans le
onzième arrondissement.

Nous nous installâmes autour de la table
centrale du rez-de-chaussée, qui semblait à la
fois faire office de salle à manger, plan de travail
et bureau pour les devoirs de ses enfants. Elle
reprit la veste qu'elle m'avait prêtée et la jeta
négligemment sur un gros fauteuil club du
salon, juste derrière moi. Elle s'assit en face de
moi, et me dit :

« Alors Charlotte… », mais elle s'arrêta, se releva, alla chercher son MacBook Pro posé en équilibre sur une pile de bouquins par terre, et se rassit. Une fois son ordinateur ouvert devant elle, elle reprit : « Dites-moi tout. » Je m'apprêtais à me présenter, lui expliquer mon parcours et la raison de ma venue, mais j'eus à peine le temps de respirer et d'entamer un « Je m'… », qu'elle m'interrompit pour se relever à nouveau. « Désolée, s'excusa-t-elle avec un grand sourire, je n'ai pas eu le temps de prendre mon petit déjeuner ! Je ne travaille pas le mercredi. » Elle s'affaira dans sa cuisine, en ouvrant quasiment tous les placards pour composer son repas. Je me demandais si elle était perdue dans sa propre maison tant elle semblait chercher ses affaires, ou si elle était un peu cinglée. « Vous voulez quelque chose ? Des tartines ? Un bol de céréales ? » Evidemment, ça ne pouvait pas louper. « Non merci, c'est gentil. » Elle s'arrêta et me regarda d'un air un peu étonné. Elle n'espérait quand même pas sérieusement que j'allais manger des Chocapic avec elle ? Elle insista. « Quelque chose à boire alors ? Un thé ? Un café ? » En toute honnêteté, j'aurais bien pris un café, mais je n'avais pas de paille avec moi, et en avais besoin pour boire, à défaut d'avoir suffisamment de force pour soulever ma tasse. Je n'avais vraiment pas envie qu'elle se remette à gesticuler dans tous les sens pour m'en fabriquer une de substitution avec je ne sais trop quoi. « Non, non merci, ça va, je vous assure. »

Enfin, on pouvait commencer.

— Alors, Charlotte. Dites-moi tout.

3.

Je me suis fait virer d'une maternelle au bout de quinze jours. Je crois que j'ai battu le record du passage le plus rapide dans une école, et que même les pires cancres ne peuvent se targuer d'un tel exploit. Pourtant, je n'ai pas jeté d'ordinateur par la fenêtre, ni tabassé un élève et encore moins eu de mauvaises notes. Ce n'était pas non plus faute de sourire. J'étais une petite fille sage et polie, et jamais je ne me serais permis le moindre écart de conduite, surtout à quatre ans. J'ai reçu une éducation plutôt stricte, mais malheureusement, mon petit serre-tête et mes robes Cacharel n'ont pas eu raison de la directrice de cette école, qui a déclaré ne pas pouvoir me garder, car, à quatre ans, je n'étais pas « suffisamment autonome à la cantine ». Sans rire. Aucun enfant ne sait couper sa viande à quatre ans, mais c'était le seul prétexte qu'elle avait trouvé pour faire comprendre à ma mère que je n'étais

finalement pas la bienvenue dans son établis-
sement, et que c'était trop de contraintes de
m'accueillir.

Mes parents ont toujours tout fait pour me
tenir le plus à l'écart possible de mon handicap, et je crois que c'est en partie grâce à cela
que j'ai pu avoir la vie que j'ai aujourd'hui. Les
enfants handicapés sont normalement placés
dans des centres spécialisés, et restent toute
leur vie entre eux. Un vrai enfer. Mais ma mère
avait pour politique de hurler systématiquement sur tous les médecins qui voulaient que
je rejoigne l'un de ces centres. Elle me prenait
dans ses bras en criant « Non mais vous êtes
malades ? Qu'est-ce que vous voulez que ma
fille aille faire là-bas ?! Qu'elle devienne comme
tous ces enfants attardés, c'est ça ? », et elle s'en
allait en claquant la porte d'une main et en me
tenant de l'autre.

Seulement, me maintenir dans un cursus
scolaire classique s'est avéré un véritable
parcours du combattant, et de nombreuses
portes d'établissements se sont fermées quand
il s'agissait d'accueillir une petite fille en
fauteuil. À force, elle avait fini par trouver la

technique. Au moment de rencontrer la direction pour m'inscrire et expliquer mon « cas », elle dégainait une photo de moi petite fille avec un chapeau de clown et un sourire jusqu'aux oreilles. « Oui, alors c'est vrai, elle est dans un fauteuil roulant... Mais regardez comme elle est mignonne ! Elle sourit tout le temps ! Vous verrez, elle est très drôle ! » Ça marchait à tous les coups. Sauf que je ne faisais jamais long feu nulle part.

J'ai réussi l'exploit de rester trois ans dans l'école qui a suivi, mais je ne fus acceptée qu'à la condition suivante : je n'aurais jamais le droit d'aller dans la cour de récréation. Cela rassurerait la directrice de savoir que je n'écraserais pas le pied d'un de mes camarades avec mon petit fauteuil. Mais tout allait bien, car il y avait dans la cour une sorte de gymnase vitré. Alors, à chaque début de récré, la maîtresse m'emmenait dans cet aquarium, et prenait bien soin de fermer la porte derrière elle. Quant à moi, je restais derrière la vitre à regarder mes amis jouer, et à attendre que la cloche sonne. Dans cette bulle de verre, j'ai appris à ne jamais m'ennuyer toute seule. J'imaginais des tas d'aventures, je me racontais des histoires incroyables et, de toute façon, c'était comme ça, alors à quoi bon s'indigner ? J'étais bien mieux à contempler avec envie ces enfants derrière la vitre que dans un centre spécialisé.

Petite, je n'ai jamais ressenti mon handicap face aux autres enfants. Je crois que la différence vient avec l'âge. Quand on est enfant, on ne ressent pas la maladie, et cela, aussi bien dans mes yeux que dans ceux de mes camarades. On se demande tout naturellement pourquoi, mais en quelques secondes on passe à autre chose, et on accepte. Je voyais bien que je ne pouvais pas faire tout comme mes copains, que les limites que mon corps étaient plus contraignantes mais, comme tout être vivant, j'ai appris à les contourner et à vivre avec, sans trop me poser de questions. Je m'en fichais, cela n'avait ni sens ni incidence. Je ne me rappelle vraiment pas avoir été malheureuse, petite fille, jusqu'à ce que j'aie sept ans, âge où j'ai connu mon premier, et mon dernier, chagrin d'injustice. L'âge de raison peut-être ?

— Combien êtes-vous dans la classe, les enfants ? avait demandé un jour la maîtresse.

— Vingt-trois plus Charlotte, avait répondu fièrement une fille de ma classe qui s'appelait Adeline.

J'ai vécu sa réponse comme une balle traversant mon abdomen.

D'aucuns se plaignent d'indifférence, moi, je venais d'être heurtée en pleine face par la différence. J'étais peut-être habituée à cela de la part des adultes mais, pour la première fois, le missile avait été envoyé par un enfant de mon âge, et annonçait clairement la fin d'une ère. Ma gorge s'est serrée, mes yeux se sont remplis de larmes, et un mélange de haine et de honte est venu se répandre dans chacune de mes cellules, du fond de mon cœur à la pointe de mes cheveux. Exactement comme dans les films d'action quand une bombe explose, j'ai vu flou, mes oreilles se sont mises à siffler, je n'entendais plus rien. J'étais comme une flamme dans le temps suspendu, hyperconsciente de mes moindres crépitements, mais tout, autour de moi, s'était arrêté.

De grosses larmes ont roulé sur mes joues brûlantes, mais personne ne l'a vu. Je les ai cachées avec mes petits cheveux défaits et tout mouillés, et j'ai fait comme si je n'avais rien entendu. J'avais trop honte, et le fait que quelqu'un le remarque n'aurait fait que jeter de l'huile sur le feu.

Quand je suis rentrée à la maison, j'ai raconté cette histoire à Maman, en pleurant.

J'étais tellement triste, mon nez coulait à flots et je n'articulais plus. Je me souviens qu'elle m'a portée dans ses bras pour m'asseoir sur ses genoux dans le canapé du salon. Ma tête enfouie dans son cou, je pleurais toutes les larmes de mon corps dans une chaleur moite.

Et soudain, la claque. Sa main glacée a percuté ma joue chaude et humide. Elle venait de me gifler de toutes ses forces.

— Je ne veux plus jamais te voir comme ça, c'est clair ? Alors maintenant tu arrêtes de te plaindre et de pleurer ! Oui, c'est injuste, mais c'est comme ça. Alors tu fais avec et tu fais au mieux. Personne n'aime les gens qui se plaignent, donc tu prends sur toi et tu arrêtes !

Je me suis figée net. Moi qui quelques secondes auparavant étais trempée par mes larmes, je me suis soudain sentie séchée et parfaitement clairvoyante.

J'avais envie qu'elle me plaigne, qu'elle me console en me disant que ce n'était pas grave et qu'Adeline était bête. Mais elle n'en fit rien.

Maman avait raison, et la menace de sa main qui planait à chaque fois que l'envie de pleurer me reprenait, c'était le doigt divin qui insufflait la vie. Je ne crois pas qu'elle ait été dure ou cruelle. Elle a juste été forte et, comme les animaux, elle m'a appris à tuer pour survivre.

De fait, j'ai ravalé mes larmes pour toujours.

Six mois plus tard, j'ai fini par encore me faire renvoyer, au nouveau prétexte qu'en cas d'alerte incendie, personne ne pourrait m'évacuer du deuxième étage, et surtout pas me porter dans les escaliers. J'avais sept ans, et je pesais 25 kilos.

★

— Écoute Charlotte, j'ai entendu qu'un collège pas très loin de la maison allait faire des travaux. Il faut qu'on aille les voir et qu'ils installent une rampe et un ascenseur.

— Mais je suis en CE2, je ne vais pas aller au collège maintenant !

— Je sais, mais il faut absolument qu'on aille les voir avant qu'ils fassent les travaux. Après, il sera trop tard, il faut qu'ils y pensent maintenant. Bon, le seul truc… c'est que c'est un collège tenu par des religieuses… et il n'y a que des filles… Mais bon, ce n'est pas si grave, hein ? C'est toujours mieux que le centre, non ? »

Heureusement pour moi, à cette époque, j'étais fan de *La Mélodie du bonheur*. J'imaginais que les religieuses étaient des dames en habit qui chantaient et dansaient dans un cloître. Ma mère m'avait bien préparée dans la voiture. Apparemment la directrice recevait les futures élèves individuellement dans son bureau, puis les parents dans un second temps, pour s'assurer d'une adhésion aux valeurs de l'Église, ou quelque chose dans le genre. Elle m'a déguisée en petite fille modèle et m'a fait répéter mon texte durant tout le trajet. Je crois qu'elle était beaucoup plus inquiète que moi.

Une fois dans le bureau de la directrice, j'ai tout mélangé. Mon texte s'est avéré beaucoup moins subtil que prévu, laissant place à quelque chose comme :

— J'adore prier. Je voudrais devenir religieuse. Et je sais que dans cette école je me ferai des amies pour la vie, parce qu'il n'y a que des filles. Et j'aime pas les garçons parce qu'ils nous empêchent de travailler. Et d'avoir des bonnes notes.

Je ne pensais pas un mot de ce que je venais de dire, mais j'avais tellement peur de me retrouver avec des enfants handicapés et des médecins que j'y ai mis toute la conviction dont j'étais capable, en prenant soin d'afficher un sourire angélique et de mettre des étincelles dans mes yeux. Ça l'a convaincue et, trois ans plus tard, je prenais l'ascenseur pour aller dans la cour de récré de mon nouveau collège.

Les sœurs ne ressemblaient en rien à Julie Andrews. Elles étaient vieilles, un peu têtues, portaient de grosses chaussures orthopédiques. Mais elles m'ont appris à arrondir les angles, à montrer patte blanche quelle que soit la situation et à être traitée comme tout le monde : sans stigmatisation et surtout sans favoritisme. Du moins au début.

Jusqu'à un beau jour, où elles ont soudain semblé prendre conscience de mon handicap, comme si elles s'étaient aperçues d'un coup qu'il y avait finalement quelque chose de différent chez moi. Ce qui ne les avait jamais dérangées – et dont je les soupçonnais même d'être un peu fières, comme si elles avaient recueilli le Bon Samaritain sur le bord de la route malgré l'opinion publique – a pris tout à coup une mesure disproportionnée. Sœur

Anne-Emmanuelle, l'infirmière scolaire, qui s'ennuyait à mourir dans son bureau poussiéreux où ses seuls exploits médicaux consistaient à donner un demi-doliprane aux jeunes filles qui se faisaient porter pâle pour sécher les cours de physique, s'était soudain sentie investie d'une mission extraordinaire : étudier mon cas et faire quelque chose. Elle s'était alors mise à éplucher frénétiquement tous les dépliants publicitaires possibles et imaginables dans l'optique merveilleuse d'améliorer mon quotidien d'élève handicapée.

Une auxiliaire d'intégration ! Voilà la solution miracle qu'elles avaient trouvée. Mais qu'est-ce donc ? Une personne envoyée aux frais de l'État pour accompagner les enfants en situation de handicap et les aider à s'intégrer dans le milieu scolaire. Elle vous suit tous les jours, prend les cours en notes à votre place, sort les cahiers de votre cartable et porte votre plateau à la cantine. Une auxiliaire de désintégration en somme. Existait-il meilleur moyen de faire fuir mes amies ? Non, je ne pense pas. Je ne comprenais pas ce qu'elle faisait là. J'écrivais très bien toute seule, et mes camarades s'occupaient très bien de moi à la cantine et dans les couloirs.

Cette nouvelle recrue me suivait partout, où que j'aille, et a petit à petit fait disparaître tout le monde autour de moi. Comme elle devait rester discrète, elle se contentait juste *d'être là*, comme une ombre, sans se donner la peine de faire des efforts pour se faire apprécier des autres.

Du jour au lendemain, je m'étais retrouvée séparée de ma voisine de classe Alice, pour demeurer exclusivement au côté d'Eva, l'œil de Moscou. Elle sentait une odeur étrange de fenouil, et faisait sonner son téléphone portable régulièrement pendant les cours. Les professeurs étaient mal à l'aise, les élèves trouvaient cela bizarre, et moi j'étais morte de honte. C'était une véritable plaie pour tout le monde, et j'avais, pour la première fois de ma vie, l'impression de déranger. J'avais envie de raser les murs pour que surtout personne ne la remarque. Et c'est ce qui s'est finalement passé, sauf que j'ai disparu avec elle. Mes amies m'ont peu à peu délaissée à la cantine, puis pendant les récréations. Eva était constamment collée à moi, et sa présence doublée de son odeur de fenouil avarié eurent finalement raison de tout ce qui bougeait dans cette école, à l'exception de Sœur Anne-Emmanuelle qui la trouvait formidable.

Comme je ne prenais plus de notes en cours, je n'écoutais plus rien. Plus l'année avançait, plus j'étais déprimée. On m'avait soudain mise en situation totale d'aliénation comme si j'avais besoin d'un chien d'aveugle, alors que tout allait pour le mieux. J'ai tout essayé pour m'en débarrasser. Parfois, je l'appelais le matin pour lui faire croire que j'étais malade et que je n'irais pas à l'école. Ces jours-là, j'étais pressée d'aller en classe à peine le téléphone raccroché, et je m'appliquais à prendre les cours en notes du mieux que je pouvais. Ils étaient parfaits. C'était trop précieux. Mais cela ne durait jamais très longtemps car les professeurs s'inquiétaient de voir qu'elle n'était pas là, alors ils la faisaient appeler, et elle rappliquait à toute allure. Je ne comprenais vraiment pas pourquoi elle était là. C'était un boulet. Pour couronner le tout, elle faisait des fautes d'orthographe hallucinantes qui m'empêchaient définitivement de relire ce qu'elle avait lamentablement écrit à ma place. Je me souviens d'un mot dans mon cahier d'histoire, « l'aurison ». J'ai passé un temps fou à me dire « Mais qu'est-ce que c'est que ce mot ? ». L'horizon.

Ah. Merci. Ce n'était pas sa faute, elle faisait son job sûrement du mieux qu'elle pouvait, mais je suis sûre qu'elle aurait rendu beaucoup plus service à quelqu'un d'autre qu'à moi. Et personne ne voulait entendre que je n'avais pas besoin d'elle, et que je m'en sortirais beaucoup mieux toute seule. Mais c'est comme ça, dans l'imaginaire collectif, les enfants handicapés ne savent pas écrire, et ont besoin d'être protégés de la dure réalité du monde des valides. Confortons-nous donc dans cette idée, et surtout mettons tout en œuvre pour que ce soit bien le cas.

Mes parents aussi ont tout essayé pour la faire partir, mais il n'y avait rien à faire. Un jour, la directrice leur a même raccroché au nez en disant : « Nous ne sommes pas une école spécialisée, si vous n'êtes pas contents, il y a un centre pour enfants handicapés à deux rues. » J'étais au fond du trou. J'avais complètement décroché en cours, et je n'avais plus d'amies.

J'ai décidé de prendre les choses en main : me faire virer. C'était la seule solution pour retrouver ma liberté. J'avais déjà cessé d'avoir de bonnes notes, il ne me restait qu'à provoquer mon renvoi pour cause de mauvais comportement.

J'ai commencé par des petites rébellions : manger du chewing-gum bruyamment, parler à tous les cours avec ma voisine. En vain. Il fallait frapper plus fort. J'ai alors entrepris d'arriver systématiquement en retard à chaque cours. Mais c'était désespérant, je n'avais même pas droit à une petite heure de colle ! Régulièrement mes camarades se faisaient coller pour avoir oublié leur carnet de correspondance ou pour un jean à la taille trop basse. Moi non. Rien. Même pas un mot à mes parents. J'ai tout essayé. Sécher, mentir, me mettre du vernis à ongles noir pendant les cours en mangeant du chewing-gum, être insolente, ne pas rendre mes devoirs, massacrer mes interrogations écrites. Rien. Pas la moindre remarque, pas la moindre punition. Mon handicap me conférait un statut d'immunité absolue, et ça me rendait folle.

Je me donnais du mal pour être virée, mais j'étais désormais bien plus déterminée à récolter ne serait-ce qu'une réflexion un peu négative. J'avais abandonné l'idée de jouer dans la cour des grands, j'étais prête à tout ne serait-ce que pour une petite heure de colle.

Je n'ai jamais réussi. Et je me suis lassée de mon propre jeu. J'étais condamnée à l'innocence, et je devais faire avec, tout en supportant l'auxiliaire.

Je me rappelle un cours de littérature sur le stoïcisme, où notre professeur nous avait expliqué que le seul moyen d'atteindre l'ataraxie, un état d'absence de troubles, c'était d'accepter l'ordre des choses. Comme un chien tiré de force par un chariot, il valait mieux ne pas lutter, au risque de souffrir en vain. À ce moment, j'eus l'étrange impression qu'elle disait cela sciemment en me regardant, comme si je devais y déceler un message. Et ce jour-là, j'ai compris que le seul moyen pour moi de mener une vie normale serait de ne pas lutter. J'étais née comme ça et, sauf miracle, j'étais partie pour être handicapée le restant de mes jours, alors je n'avais pas d'autre choix que de l'accepter, et de faire en sorte d'aller bien. Je pouvais continuer à être malheureuse, à ne pas accepter les choses, cela ne ferait qu'accroître tous mes maux. Je me suis rappelé la gifle de ma mère. Et j'ai compris que mon bonheur et mon épanouissement ne dépendaient que de moi, et de personne d'autre. La seule solution pour que l'on me laisse en paix était de faire comme si tout allait bien. De faire en sorte que tout aille bien. Alors j'ai ravalé ma rancœur, et j'ai lutté de toutes mes forces pour relever la tête et remonter la pente. Tout le monde attribuait ce changement inespéré de comportement à la présence d'Eva et moi, j'attendais son départ en souriant docilement, que je puisse être libre à nouveau.

L'instinct de survie m'a blanchi les dents.

4.

Je ne raconte jamais cette histoire à personne, et surtout pas à Mathilde Gautier. Je fais toujours « comme si de rien n'était ». Aux innocents les mains pleines.

« J'ai passé mon bac en 2007, j'ai fait deux ans de prépa, et puis j'ai intégré une grande école. J'ai fait plein de stages différents et, aujourd'hui, j'espère vraiment pouvoir rejoindre votre agence pour mon stage de fin d'études. » Une vie (dés)espérément banale.

Mathilde Gautier m'avait écoutée lui décrire une à une chacune de mes expériences précédentes, lui exposer ma motivation sans broncher et semblait finalement très calme, jusqu'à ce que son mari descende de la mezzanine et mette fin à notre entretien en demandant si elle préférait qu'il achète de la mâche ou de la scarole pour leur dîner du soir. Elle

me remercia d'être venue jusque chez elle,
je la remerciai pour ses rampes artisanales,
et rappelai Monsieur Pichard pour rentrer
chez moi. Hélas, en ressortant de chez elle,
les rampes ont soudain cédé sous le poids de
mon fauteuil, me précipitant brusquement
au niveau du sol, plus près de la sortie. Rien
de bien grave, si ce n'est que j'y ai laissé le
peu de dignité qu'il me restait après toutes ces
péripéties. Cet entretien avait décidemment
été une série de fausses notes disgracieuses du
début à la fin. Il me tardait vraiment de rentrer
chez moi au chaud, et d'oublier tout ça.

Mais contre toute attente, et alors que je
commençais à m'éloigner, j'entendis :

— Quand pouvez-vous commencer ?

5.

Deux jours avant mon premier jour officiel, Mathilde Gautier m'appela, terrorisée par l'incident de la marche, afin que je me rende dans les locaux en éclaireur pour une sombre histoire de moquette. D'après ce que j'avais compris au téléphone, ils étaient en train de changer le revêtement du sol de l'agence, et elle voulait s'assurer que « l'herbe synthétique était compatible avec les roues de mon fauteuil » avant mon arrivée. L'herbe synthétique. Il n'y a que les agences de pub pour avoir des idées pareilles. L'herbe c'est cool. Ça fait *green* et écolo, on adore. J'ai eu beau assurer à Mathilde qu'il n'y aurait aucun problème, que je pouvais rouler sur l'herbe, puisque j'avais bien réussi à traverser son jardin, elle avait trop peur d'un nouvel incident. La perspective d'appeler Claude Pichard pour faire un aller-retour histoire de tâter le revêtement ne me réjouissait pas vraiment, mais je n'avais pas le choix. Je l'entendais déjà soupirer…

Comme prévu, le déplacement fut express. À peine le temps d'entrer dans l'immeuble, de m'annoncer et de faire un demi-tour sur un mètre carré d'herbe en nylon, que j'étais déjà ressortie. Je retrouvai mon cher chauffeur garé en double file sans se soucier une seconde de gêner la circulation, en train de fumer une Gitane vautré dans son fauteuil. Quand il me vit approcher, il jeta sa cigarette dans le caniveau, d'un air qui me fit comprendre que, clairement, je le dérangeais et qu'en plus je ne lui laissais même pas le temps de finir sa clope.

Je ne savais jamais quoi faire pour le satisfaire. D'un côté je me disais qu'un déplacement éclair comme celui-ci avait le mérite de le faire rentrer rapidement chez lui, et qu'il valait mieux pour lui m'attendre dix minutes plutôt que deux heures. Mais d'un autre côté, je culpabilisais de la rapidité de cet aller-retour, comme s'il avait fallu amortir son déplacement.

C'est un peu le problème d'être dépendant dans ses trajets. Une personne valide saute dans le métro au gré de ses envies pour acheter une bonne pâtisserie ou chiner un livre ancien. Moi non, il me faut une raison *valable*. Personnellement, j'aurais tendance à considérer que le plaisir procuré par un saint-honoré rose framboise vaut tous les déplacements du monde. Mais je doute que le Syndicat des transports d'Ile-de-France qui m'aide à financer mon chauffeur, faute de transports publics accessibles aux fauteuils roulants, considère cela comme un motif *valable* et accepte de payer pour que je mange des gâteaux.

Parfois j'imagine un monde où on demanderait à tous les gens qui prennent le métro où ils vont et pour quelle raison, avant de les autoriser à se déplacer, histoire de ne pas payer des salaires de conducteurs de métro « pour rien ». Vous allez travailler ? Très bien, voici votre billet merci bonne journée. Vous, en revanche, vous allez juste prendre le soleil au jardin des Tuileries ? Enfin, Monsieur, vous vous moquez du monde ! Est-ce un motif valable pour que nous payions quelqu'un pour *ça* ?

Oui. Liberté, égalité, fraternité de manger des gâteaux et de bronzer le dimanche après-midi. La note triste dans l'histoire, c'est que nous avons tous oublié que les personnes en fauteuil roulant, parfois, aiment aussi les gâteaux.

C'est pour cela que cet aller-retour me posait un problème de conscience. Et puis au fond, tant pis, ma boss me le demandait, je n'avais pas le choix.

L'agence s'était installée dans les locaux d'une ancienne concession automobile en plein cœur de Paris, dont la carcasse métallique avait été recouverte de verre, donnant naissance à un bâtiment surprenant, tout en lumière et colimaçon. J'avais la chance d'être tombée sur une agence accessible, avec plusieurs ascenseurs en cas de panne. Durant mes études, j'avais envoyé des centaines de CV et avais obtenu fièrement beaucoup de réponses positives. Seulement à chaque fois, même si j'étais prise, je devais renoncer au poste car les locaux ne me permettaient pas d'y accéder. Pourtant je n'ai pas besoin de grand-chose, je n'ai besoin d'aucun aménagement particulier, juste qu'il n'y ait pas de marches. Mathilde Gautier m'avait avertie pendant l'entretien qu'elle craignait que les toilettes ne soient pas « aux normes », c'est-à-dire suffisamment grandes pour que je puisse entrer. Mais je m'en fichais.

Quand j'étais petite, personne à l'école ne voulait me porter pour que je m'asseye sur les toilettes et fasse pipi. Mes parents avaient remué ciel et terre : demander aux institutrices, aux femmes de ménage, se déplacer eux-mêmes sur leur pause déjeuner, ils avaient même embauché une jeune fille qui venait à heure fixe, mais finalement c'était trop pénible de se déplacer pour si peu (décidemment, c'est l'histoire de ma vie). Ma mère m'avait alors expliqué que si je voulais rester dans une école « normale », il fallait que j'apprenne « à ne jamais faire pipi ». Je me souviens des premières semaines où je devais me retenir malgré une envie pressante, urgente, insupportable. Je rentrais chez moi en apnée, prête à exploser et à pleurer de douleur. Et puis petit à petit, la théorie de l'évolution et de l'adaptation des espèces a eu raison de moi et de ma vessie, et je me suis habituée. Grâce à cela j'ai survécu à mon habitat naturel dans le monde des valides.

Heureusement, car si, aujourd'hui, je devais retirer à ma maigre liste d'employeurs accessibles ceux qui n'avaient pas les bonnes toilettes, je crois que je serais vouée au chômage éternel.

J'avais signé pour un stage de six mois dans cette agence de publicité, afin de travailler sur la stratégie de toutes leurs marques de beauté. Je me rends compte de l'aspect terriblement cliché de ce que je m'apprête à dire, mais c'est vrai, j'adore la beauté. D'aucuns y verront un effet de compensation, une tentative désespérée d'accorder de l'importance au peu que je pourrais maîtriser chez moi, peu importe. Un jour, une coiffeuse m'avait dit d'un air à la fois éberlué et ému : « Je trouve ça admirable que vous preniez soin de vous malgré tout. » Pitié. Je suis probablement la plus grande consommatrice de produits de beauté qui a jamais foulé le sol de ton salon, alors garde tes « malgré tout » pour toi. Je n'ai jamais compris cette logique, comme si les gens qui avaient des problèmes n'aimaient que les choses laides. C'est absurde. Pour moi, qu'on l'admette ou non, la beauté rend heureux. Promettre la chevelure de Claudia Schiffer à des milliers de femmes ravissait la trapéziste qui sommeillait en moi. Et puis la nature fait bien les choses, je ne peux presque rien faire de mes mains, sauf me maquiller toute seule, allez savoir pourquoi. Je ne peux pas ouvrir une porte, mettre un manteau, appeler un ascenseur, mais dessiner avec la précision d'une dentellière un long trait d'eyeliner noir tous les matins devant mon miroir, oui. Parfois mon frère ricane gentiment en disant que j'aurais pu choisir de savoir faire quelque chose de plus utile, comme vider le lave-vaisselle. Sûrement encore un coup de Darwin…

6.

Tout se passait bien chez Carrousel. J'aimais mon travail et mes collègues. Les agences de pub ont cette faculté troublante d'effacer immédiatement toute hiérarchie dans les rapports humains au profit de l'arrière-goût sucré et enfantin de grande amitié festive généralisée. Interdiction formelle de vouvoyer qui que ce soit, et obligation professionnelle de boire des cocktails sur la terrasse avec son équipe une fois par semaine au moins. À chaque étage, il y avait une table de baby-foot (toujours occupée), une PlayStation qui trônait au milieu de gros poufs rose et orange, et une fois par semaine une masseuse aux frais du comité d'entreprise. Tout ça pour « stimuler la créativité », et doucement faire perdre la notion du temps aux employés.

Concrètement, mon rôle consistait à rendre intelligent (ou du moins à faire paraître intelligent) tout objet dépourvu de sens et d'intérêt, comme la dernière bouteille de shampoing vendue au supermarché. Spécialiste des produits capillaires, les expressions « tiré par les cheveux », « s'arracher les cheveux » et « couper les cheveux en quatre » ont été inventées pour moi. Dans mon équipe, nous passions des heures, des jours, des semaines à débattre de la façon exacte dont le mannequin devrait se passer la main dans les cheveux en regardant la caméra. J'écrivais donc des présentations de cent pages sur la différence fondamentale qu'on observe entre un cheveu sec et un cheveu abîmé, et j'ai appris à dire « pointe fourchue » dans six langues différentes.

Tous les matins, Khadija, l'hôtesse d'accueil, descendait de son perron pour m'accompagner dans le « monte-charge », une sorte d'horrible ascenseur à ciel ouvert qui avait été installé pour permettre aux personnes à mobilité réduite (mais surtout aux livreurs de café, dans la réalité des faits) de franchir quatre marches au milieu du hall d'entrée de l'agence. Officiellement elle n'avait pas le droit de quitter son poste, au cas où le téléphone sonne ou si un visiteur venait à s'annoncer. En réalité,

elle s'ennuyait à mourir et cette petite prome-
nade en ascenseur était le seul alibi qu'elle avait
pour se dégourdir un peu les jambes. Au début
je me sentais un peu obligée d'être gentille avec
elle pour la remercier du service qu'elle me
rendait; le monte-charge était une installation
très lente, bruyante et mal conçue qui nécessi-
tait de maintenir enfoncé de toutes ses forces
un gros bouton tout le temps de la montée et
de la descente. Il faisait un bruit affreux qui
résonnait dans tout le hall. Les jours où j'étais
en retard, je ne risquais pas de passer inaperçue. Forcées de sympathiser à cause de la
promiscuité de la nacelle dans laquelle nous
nous retrouvions en tête à tête quatre fois
par jour (pause déjeuner comprise) pendant
1 minute et 20 secondes très exactement,
soit 5 minutes 20 par jour, 26 minutes 40 par
semaine et 1 heure 50 minutes par mois, nos
échanges passèrent naturellement du cordial
« Salut! Ça va? » au complice « Il faut que je
te raconte! ».

Elle me posait plein de questions sur mes
études, et surtout sur « la vie là-haut », puisque
même si elle avait appris par cœur le nom
de chaque employé qui passait, elle ne savait
pas du tout comment fonctionnait l'agence,

ni même ce qu'on y faisait. Elle me racontait tous les déboires du rez-de-chaussée, le livreur de colis qui la draguait quotidiennement, et les clins d'œil coquins que Stan, le directeur commercial, lui faisait à chaque pause clope. Elle était vraiment très sexy, parfois elle en faisait un peu trop, arborant fièrement une poitrine gonflée à bloc dans un bustier à fleurs assorti à son vernis, des extensions de cheveux à n'en plus finir, et des talons Zara trop hauts. Au début je n'avais pas pu m'empêcher de lui coller l'étiquette de la bimbo parfaite, mais plus le temps passait, plus je la trouvais jolie, et surtout attachante. Elle ressemblait un peu à Naomi Campbell, comme une belle panthère noire tout en longueur et félinité.

Au bout de quelques semaines, elle m'avoua qu'elle avait arrêté ses études de communication car son père, qui travaillait dans l'installation de lignes téléphoniques, avait été déclaré travailleur handicapé à la suite d'un accident du travail et ne pouvait plus se servir de son bras gauche. Faute de toucher une indemnité suffisante, elle avait dû prendre le relais pour subvenir aux besoins familiaux. Elle avait toujours voulu travailler dans la communication, et aujourd'hui, elle était « la fille de l'accueil », cloîtrée dans le hall, à seulement un étage du job de ses rêves. « Mais bon ! J'y suis presque ! Je fais partie de l'agence en quelque sorte ! » Je ne pus m'empêcher de penser « Euh, non, pas vraiment », et je m'en sentis affreusement coupable. Heureusement elle coupa court à mon malaise avec un jovial « J'aime trop comment t'es habillée aujourd'hui ! ». Je souris en pensant qu'il y a un mois, son compliment m'aurait probablement un peu inquiétée quant au goût de la tenue en question, mais aujourd'hui, il m'allait droit au cœur. C'est le propre des ascenseurs, ça rapproche.

★

La seule zone d'ombre dans ce nouvel horizon publicitaire, c'était Claude Pichard. Ma charge de travail m'imposait parfois de devoir rester très tard le soir, car les délais étaient toujours trop courts, me contraignant à lui demander de ne jamais venir me chercher avant 20 h 30. J'avais beau m'excuser platement, lui montrer ma gêne, le remercier, lui expliquer que ce n'était pas ma faute, que c'était mon stage de fin d'études et que je devais faire mes preuves, il râlait de plus en plus. Un soir, tandis que nous étions arrêtés à un feu rouge, il me dit en me regardant en coin dans le rétroviseur :

— Au fait, je voulais vous dire, j'ai trouvé un nouveau boulot. C'est la dernière fois que je vous transporte. Mon responsable va vous appeler, mais à partir de demain ce sera Monsieur Ali qui viendra vous chercher.

Ne sachant trop que répondre, j'optai pour un « Ah bon... bah très bien... », puis me rendis compte que c'était maladroit et un peu nonchalant. Je surenchéris pour faire mine de m'intéresser :

— C'est quoi comme nouveau boulot ?

— Livreur de légumes.

À ces mots, je ne pus m'empêcher de penser, vexée : « Putain. Il préfère transporter des courgettes plutôt que de venir me chercher. Ça craint. » En fond sonore, le public de Rire & chansons riait à gorge déployée.

7.

Le lendemain matin en ouvrant les yeux, je n'étais pas très sereine. Même si je savais que clairement, Claude Pichard ne me manquerait pas, la perspective d'un inconnu ne me rassurait pas pour autant. Et s'il était encore pire? Quand on y pense, ça semble un peu insensé de monter dans la voiture d'un inconnu. Ça ferait un bon fait divers. « Une jeune handicapée en fauteuil roulant kidnappée par un chauffeur fou. »

Je fais partie des rares personnes qui n'ont jamais utilisé de réveil dans leur vie. Tous les matins, depuis toujours, ma « nounou » sonnait à la porte à heure fixe pour me préparer et m'habiller. J'en ai eu des tas, de tous les âges, de toutes les humeurs et de toutes les nationalités. Celle-ci s'appelait Marie, avait trente-six ans, venait de Côte d'Ivoire, et parlait avec un accent africain à couper au couteau. Une vraie mama black. Elle rigolait tout le temps et chantait toute seule. Pas besoin de réveil donc, quelqu'un est toujours entré dans ma chambre pour me réveiller. L'ennui, c'est que je n'avais aucune excuse pour ne pas me lever, ni même pour arriver en retard, y compris quand j'avais trop bu la veille ou que je m'étais couchée à une heure indue. Ma vie était soigneusement orchestrée avec la précision d'un métronome, dans un enchaînement constant de personnes qui m'étaient à la fois tout à fait étrangères et tellement intimes. Mais j'aimais beaucoup Marie, même si sa bonne humeur éternelle de si bon matin était parfois crispante. Nous nous étions apprivoisées, petit à petit. Au début, exemple anodin, elle n'arrivait pas du tout à me coiffer, c'était une catastrophe. Elle n'avait jamais « coiffé une petite Blanche » comme elle disait. « Vos cheveux là, ils sont trop difficiles ! Ça glisse comme un foulard ! » Alors, elle m'enfonçait les pics de ma brosse dans le crâne, me plaquant les cheveux en arrière comme une chanteuse de R'n'B. Les deux premiers mois, elle avait insisté pour me faire des tresses. Je crois que si je l'avais laissée faire, elle m'aurait habillée avec un boubou.

Ce jour-là, notre ballet quotidien de prépa-
ratifs fut interrompu par la sonnette de la
porte d'entrée. Marie décrocha l'interphone
et demanda « Ouiii? », puis annonça «Trrès
bien. Je la prréviens. Elle arriverra dans deux
minutes » en roulant bien les *r*. Je ne pouvais
pas m'empêcher de trouver notre situation
désespérément clichée, et parfois je m'en sentais
coupable. Nous étions, malgré nous, la Scarlett
O'Hara et sa mama des temps modernes, la
capeline, le corsage et l'insolence en moins.

Je sortis donc dans la rue, à la rencontre du
fameux Monsieur Ali, en qui j'avais placé tous
mes espoirs. Un petit homme habillé tout en
noir sauta de son monospace aménagé, avec
la légèreté d'un jockey. Marie avait l'air d'un
colosse à côté de lui. Il s'empressa : « Salut,
moi c'est Ali. » J'étais rassurée, il n'avait pas
l'air d'un psychopathe.

Après avoir déplié puis replié la rampe pour
m'installer, il fit à nouveau un saut de cabri
pour se hisser sur son siège conducteur. Je ne
sais pas si la voiture était immense, ou s'il était
vraiment minuscule, mais il avait l'air de nager
dans son véhicule, comme un petit garçon
dans la chemise de son papa. Je me demandais
si ses pieds allaient toucher les pédales. Je lui
donnais une quarantaine d'années, mais je me

doutais qu'il devait faire jeune et qu'en réalité, il avait plus. Il avait des yeux gris couleur périphérique assortis à ses cheveux et à son teint olive, comme si tous les kilomètres qu'il avait parcourus dans sa camionnette avaient fini par déteindre sur lui. Il ajusta le rétroviseur de façon à m'avoir directement dans son champ de vision, et me posa la question fatidique :

— Avant qu'on y aille, tu veux écouter quoi ?

— Comme vous voulez, ça m'est égal. Tout me va, mentis-je.

C'était un test. LE test qui m'indiquerait d'emblée si j'étais tombée sur un Pichard bis.

— Oulalala ! Attends, on va mettre les choses au clair pour bien commencer. Déjà ici on se tutoie, je suis pas le préfet de je sais pas quoi. Ensuite, si tu me dis de mettre ce que je veux comme radio, moi je veux bien, mais je vais te mettre Radio Orient. Donc c'est toi qui vois ! rétorqua-t-il en ricanant, comme amusé de sa propre bonne humeur.

Je me rendis compte que je n'avais pas écouté la radio de mon plein gré depuis le collège. Je n'avais plus aucune notion des fréquences qu'une jeune de mon âge était censée aimer. J'écoutais beaucoup de musique, mais sur mon iPhone ou mon ordinateur, jamais à la radio. Je crois que j'aurais bien aimé Nostalgie, mais je me ravisai en pensant qu'il allait me prendre pour une vieille coincée. En fait ça m'était vraiment égal.

— Va pour Radio Orient dans ce cas…

Il me regarda d'un air inquiet dans le rétroviseur.

— Mais… tu parles arabe ? *Wallah* tu vas rien comprendre.

— Un chouïa.

Il ricana encore en hochant la tête. Nous n'avions toujours pas démarré.

— C'est vrai ? Tu sais dire quoi ?

— Rien. Juste *un chouïa*.

Il rit à nouveau, alluma la radio et démarra doucement. Je ne comprenais pas un mot de ce qui se disait, mais comme j'avais passé les derniers mois à entendre la radio sans jamais l'écouter, cela me laissait bien indifférente. Je profitais habituellement du temps de trajet pour envoyer des SMS, répondre à mes mails ou regarder des bêtises sur Facebook. Mon esprit était partout avec tout le monde à la fois, mais jamais dans la voiture avec mon chauffeur. Le silence avait toujours été trop lourd pour ne pas m'en extraire par la pensée.

Par inadvertance nos regards se croisèrent dans le rétroviseur.

— Là c'est le flash info. Elle parle d'un enlèvement en Syrie.

Je fis mine d'acquiescer, sans vraiment écouter. J'étais en train de lire un article sur mon téléphone au sujet d'un nouvel actif cosmétique qui permettait de pénétrer dix couches du cheveu, le Phk 1000. Je trouvais ça beaucoup plus intéressant et divertissant qu'un énième enlèvement au Proche-Orient. Je continuai ma lecture, impassible.

— Je suis toujours avec toi.

Je haussai les sourcils, interloquée. De quoi parlait-il ? Je me demandai s'il m'avait parlé sans que je l'écoute tout du long. S'il était « avec moi », ce n'était pas clairement réciproque. J'abandonnai mon téléphone, je ne voulais pas paraître grossière.

— Pardon ?

— *Tamally maak*, ça veut dire *toujours avec toi* en arabe. C'est une chanson très connue chez nous ! Tu connais pas ?

— Non, ça ne me dit rien.

Pendant le reste du trajet, Ali me traduisit à peu près une phrase sur quatre de ce qui passait à la radio. Une fois arrivés à destination, il me souhaita une bonne journée et me demanda à quelle heure je voulais qu'il revienne.

61

La porte automatique de l'agence s'ouvrit, je me fis escorter par Khadija, et enfin, la journée pouvait commencer, après tout cet enchaînement méticuleux de personnes qui m'avaient accompagnée. J'étais comme le ballon qui passe de main en main dans une course de relais. Une fois devant mon bureau j'étais enfin autonome.

Enfin, presque.

Etant donné que j'étais contrainte par mes chauffeurs de partir relativement tôt le soir, j'avais décidé de décaler légèrement mes horaires, et d'arriver à l'heure où tous mes collègues dormaient encore à poings fermés : 9 heures. Je sais, c'est scandaleusement tard pour la quasi-totalité de la population active, mais pas pour les publicitaires. Le petit monde des agences parisiennes vit sur son propre fuseau horaire, la journée commençant entre 10 heures et 11 heures et se terminant à 23 heures quand tout va bien. Parfois, elle ne se termine pas du tout. J'avais élu domicile dans un monde peuplé d'originaux.

En arrivant à 9 heures ce matin-là, j'étais loin d'imaginer que mon étage serait littéralement vide. Khadija était redescendue directement une fois que j'étais sortie de l'ascenseur, et je me retrouvai seule, sans pouvoir ni enlever la chaise que les femmes de ménage avaient remise à mon bureau, ni allumer mon ordinateur dont le bouton était inatteignable. Depuis mon arrivée, je demandais à mes voisins de l'aide pour enlever cette maudite chaise. J'avais tout essayé : la mettre au bout du couloir, à un autre bureau, laisser un mot sur mon bureau « Merci de ne pas remettre la chaise ». Rien à faire, elle revenait tous les matins à sa place, comme un boomerang. J'imaginais les femmes de ménage cherchant désespérément à quel bureau appartenait cette chaise exilée au bout de l'immeuble, et finalement, trouvant la bonne place sans imaginer qu'une personne en fauteuil viendrait le lendemain avec sa propre chaise. Un bureau, une chaise, c'était comme assembler des chaussettes en vidant la machine à laver. J'étais donc seule au cinquième étage, sans rien pouvoir faire pour combler ce grand moment de solitude. C'était bien la peine d'arriver plus tôt. Impossible de rappeler l'ascenseur pour demander de l'aide, le bouton était bien trop haut pour moi. C'est une des joies d'être en fauteuil que de faire la taille d'un enfant de huit ans, et de se retrouver le visage à hauteur de braguettes et de sacs à main. Parfois je me demande si ma perception des personnes qui m'entourent n'est pas

déformée à force de voir la vie d'en dessous.
Mes lignes de fuite sont assez inédites.

Je faisais des allers-retours sur l'herbe synthétique, en attendant qu'un collègue tombé du
lit vienne à ma rescousse. Encore un bonheur
que d'être assise en permanence, aucune
posture physique ne me permet de manifester l'attente. N'importe qui, dans la rue, en
attendant de retrouver un ami à la sortie du
métro, adopte une attitude qui signifie clairement « j'attends ». Croiser les jambes, s'ados-
ser contre un mur, s'asseoir sur un banc. Mais
quand on est sur un fauteuil roulant, rien de
tout ça n'est possible. On attend simplement,
sans signalétique manifeste. C'est d'ailleurs
un détail extrêmement embarrassant qui fait
que je déteste attendre. Quand cela m'arrive
en public, les passants viennent systématiquement me voir, persuadés que si je suis plantée là dans la rue, c'est que j'ai un problème.
Ils s'approchent, gênés, voulant bien faire, et
me demandent : « Excusez-moi... Vous avez
besoin d'aide ? Je peux vous aider ? » Et moi de
répondre : « Non non merci, j'attends – je sais
ça ne se voit pas, mais je vous assure. » Un vrai
casse-tête. Du coup, la plupart du temps, je
fais mine d'être très occupée à envoyer de faux
textos. Seule à mon étage, l'attitude la plus

naturelle me semblait être de feindre de faire les cent pas, mais en roulant, ce qui devait être encore plus étrange que tout, vu de l'extérieur.

Un bruit inédit m'avertit soudain d'une présence vivante à l'étage, et j'aperçus un homme qui arrivait du bout du couloir en patins à roulettes. J'allais enfin pouvoir me débarrasser de cette chaise boomerang qui m'avait valu d'errer comme une âme en peine et de tourner en rond dans l'open space. Cet étrange bruit annonçait l'entrée en piste d'un autre homme roulant à l'étage. Mesdames, messieurs, le tant attendu, le merveilleux, l'unique « homme-rollers ». Mais il ne portait pas des rollers modernes, comme on en voit aux pieds de certaines personnes amatrices de sport de glisse. Non, il portait des patins à l'ancienne, avec quatre roulettes et des lacets. Son exercice semblait néanmoins compromis par la nouvelle moquette en herbe synthétique. Il manquait de tomber à chaque pas. À la vue de cet homme barbu qui portait une casquette orange et un tee-shirt avec de grosses étoiles, en train de gesticuler pour garder l'équilibre sur ses drôles de chaussures, je ne pus m'empêcher de penser qu'il était fou. J'eus beau le trouver ridicule, je me reconnus dans son triste numéro d'équilibriste. Avant lui, j'avais été trapéziste dans mon justaucorps à paillettes, et monocycliste roulant en rond sur la piste. L'herbe synthétique avait eu raison de moi, de lui, et elle avait en réalité raison de nous tous dans cette agence. Il alluma la lumière en appuyant sur l'interrupteur – encore trop haut pour moi – et je fus submergée par une vague de conscience terrifiante de lucidité. Ce besoin maladif de mise en scène permanente, qui nous caractérisait tellement, nous transformait petit à petit en personnages de cirque.

Tour à tour clowns, prestidigitateurs, contorsionnistes et jongleurs allaient défiler en grande pompe. C'était un spectacle à l'orchestration méticuleuse et parfaite. Ils sortaient de l'ascenseur un par un, après s'être pomponnés discrètement devant le miroir lumineux. Plus l'étage était haut, plus ils jouaient un rôle important au sein de la troupe, plus ils avaient le temps de se mirer. Ils connaissaient parfaitement le timing qui leur était accordé entre le moment où ils entraient dans l'ascenseur et celui où ils en ressortiraient. Réajustement de mèche, retouche de fard, vérification de la dentition, repositionnement du costume, et entrée en piste au son du timbre qui annonçait l'ouverture des portes automatiques des coulisses.

Auguste Soulier, directeur du développement durable de l'agence Carrousel, ouvrait le pas. Il avait été engagé afin de donner une image « verte », « bobo » et « écolo » qui reléguerait au second plan la déforestation massive que l'agence opérait quotidiennement en imprimant des centaines de « briefs », « recos », « prez », « drafts », et « maquettes » que la terrible Barbara Venetti, présidente et directrice générale, finirait par jeter à la poubelle dans un grand tourbillon de feuilles volantes. Alors, Auguste Soulier avait réinventé la poubelle en installant deux bacs bien distincts sous chaque bureau. Un bac vert avec un visage souriant (comprenez par là que le recyclage c'est bien), et un bac marron avec un visage triste, qui vous faisait culpabiliser à chaque fois que vous jetiez votre gobelet de café vide qui, lui, ne connaîtrait jamais les joies de la réincarnation. Il avait également fait de notre lieu de travail un havre de paix pour les animaux, en installant des ruches d'abeilles sur la terrasse où nous sortions fumer. Non seulement il avait ainsi contribué à faire diminuer par deux la probabilité d'un cancer du poumon des employés qui avaient arrêté de fumer à force de se faire immanquablement piquer à chaque pause clope, mais il avait également fait de l'agence le premier producteur du miel le plus pollué de tout Paris. Diplômé d'une école de commerce, il portait un costume à rayures trop grand pour lui, une petite pierre précieuse rouge incrustée dans la narine droite, et se promenait toujours dans les couloirs avec un minuscule arrosoir en plastique. Il avait une théorie comme quoi les plantes se nourrissaient des ondes du wifi et de l'eau fraîche qu'il leur apportait. L'herbe synthétique, c'est à lui qu'on la devait. On lui avait demandé une agence « verte », il l'avait pris au mot.

Lui succédaient, dans l'ordre de la grande parade matinale, Ludovic Barrault qui jonglait sans cesse avec ses trois téléphones portables aux sonneries incessantes, et Fabio di Calvacanti dans le rôle de l'homme-canon – non pas qu'il volât dans les airs, mais ses origines brésiliennes incarnées à grand renfort d'autobronzant faisaient de lui un canon. Arrivait ensuite une horde de petits stagiaires contorsionnistes qui pliaient sous le joug de leurs maîtres de stage, dresseurs de bêtes. Désireux de satisfaire leurs moindres désirs tout au long du chemin qui les mènerait au sacro-saint CDI, ils passaient leur temps à porter des maquettes qui faisaient deux fois leur taille en exécutant un maximum de courbettes sans renverser les trois tasses de café qui tenaient en équilibre précaire sur leur tête. En général, ils arrivaient en courant sur la pointe des pieds, priant pour que personne ne remarque qu'ils avaient *encore* trop bu la veille et qu'ils étaient *encore* en retard. Dans leur course effrénée, ils manquaient au passage de faire tomber le club des échassiers composé des jeunes commerciales dont les talons vertigineux étaient inversement proportionnels au salaire.

Enfin, bouquet final, ce joyeux défilé prenait fin à l'arrivée de la plus grande des étoiles, la sérénissime Barbara Venetti dans le rôle du lanceur de couteaux, secondée par son assistante Amélia. La tension de cette apothéose résidait en un suspense insoutenable, car personne ne savait si Barbara viendrait, ni à quel moment précis elle arriverait, mais tout le monde la craignait. Sa présence était rare, mais elle avait laissé des consignes claires auxquelles Amélia ne devait jamais déroger. Barbara voulait notamment qu'il y ait toujours une cafetière et une théière chaudes qui l'attendent sur son bureau. Mais comme elle pouvait arriver à tout moment, Amélia avait fait embaucher un garçon de café dont le rôle était de remplir lesdites cafetières et théières toutes les deux heures *au cas où*. Entre-temps, il faisait des allers-retours à la boulangerie pour acheter des chouquettes.

Quant à moi, mon bureau était à deux pas de celui de Barbara et j'avais vite compris que c'était un garde-manger stratégique. J'étais certes stagiaire, mais très mauvaise contorsionniste, alors je passais mes journées à siffler la cafetière et à me goinfrer de chouquettes à l'œil.

Tout ce petit monde s'agitait toute la journée, enchaînant les réunions et les parties de baby-foot. Nous avions même développé notre propre langage, un savant mélange de franglais et de mots pseudo-intelligents pour nous conforter dans l'idée que même si nous travaillions sur des sujets inintéressants (la super-cagnotte du vendredi 13 mai ou encore le nouveau pain de mie sans croûte), nous le faisions au travers d'un prisme très intellectuel. Ainsi il était courant d'entendre Ludovic Barrault crier sur son stagiaire : « On n'anthropomorphise jamais la boule ! C'est pas un *trigger* viable ! » La palme revenait à mon équipe composée uniquement de Français mais au sein de laquelle nous parlions uniquement anglais. Personne ne savait vraiment pourquoi, mais c'était comme ça, et impossible d'y déroger.

Malgré ces apparences parfois grotesques, j'étais très contente d'être à ma place, divertie en permanence par les caprices et la maniaquerie excessive de chacun, et surtout stimulée par un niveau d'exigence démesuré qui demandait de toujours faire mieux. Les journées étaient longues, parfois épuisantes, mais l'agence savait remonter le moral de ses troupes en organisant des fêtes somptueuses sur son toit-terrasse avec vue sur tout Paris.

8.

Le lendemain matin, Ali revint me chercher. J'avais trouvé une parade infaillible pour remédier au silence qui m'avait pesé si longtemps avec Claude Pichard. Je le laissais me traduire toutes les chansons et les informations qui passaient en arabe, et glisser au passage quelques anecdotes personnelles.

En arrivant à mon bureau, j'étais encore la première, et la chaise boomerang était évidemment revenue, mais cette fois-ci j'avais pris le numéro de Khadija pour la rappeler le cas échéant. Je m'apprêtais à composer son numéro, quand j'aperçus un post-it collé sur le dos de la chaise mentionnant : « Salut Charlotte, j'ai trouvé une solution pour ton histoire de boomerang. J'ai accroché une ficelle à l'accoudoir, tu n'as qu'à la tirer pour déplacer la chaise. Si ça ne marche pas, je serai là aux alentours de 9 h 15. A. » Je ne connaissais pas A., mais je me doutais qu'il s'agissait de l'homme-rollers. J'étais assez touchée qu'il ait pensé à trouver une solution qui me faciliterait grandement la tâche. C'était d'une simplicité enfantine, mais très efficace. Une fois la chaise mise de côté, je me mis au travail. Je devais réaliser une étude sur la perception de la beauté des cheveux au Japon. Toute la stratégie publicitaire mondiale de la marque BelHair, leader du shampoing professionnel en grande surface, était réalisée par l'équipe de Mathilde Gautier, à Paris. Aussi, elle passait sa vie aux quatre coins du globe pour présenter le fruit de nos recherches aux clients locaux. Je ne la voyais jamais, mais recevais des e-mails m'indiquant quoi faire à des heures improbables, parfois au milieu de la nuit. Je préparais ses dossiers, m'occupais d'écrire ses présentations, puis elle les corrigeait avant de les montrer à des équipes indiennes, japonaises, brésiliennes, philippines et émiraties. C'étaient les pays stratégiques où les ventes connaissaient des évolutions massives de plus de 300 % par an.

Pour ce dossier, je devais essentiellement compiler des informations dispersées un peu partout dans l'agence. Je passais mon temps à me déplacer d'étage en étage. La plupart du temps, les personnes que je cherchais n'étaient pas à leur bureau au bon moment, alors on me renvoyait encore à un autre endroit. J'avais donc dû trouver une solution pour pallier mon manque total d'autonomie dans l'ascenseur. Je me laissais porter par les allées et venues aléatoires de la cabine. Sachant que je ne pouvais appuyer sur aucun bouton, ni extérieur ni intérieur, j'attendais devant que quelqu'un en sorte pour me précipiter dedans. Parfois je demandais à la personne, sur son passage, d'appuyer sur le numéro de l'étage auquel je voulais me rendre, mais la plupart du temps elle fonçait tête baissée, ou ne m'entendait pas. Je rentrais alors seule dans l'ascenseur, en attendant que quelqu'un à un étage aléatoire m'appelle sans le savoir. Parfois, personne ne l'appelait dans l'immédiat, alors je restais enfermée dedans, repoussant les limites de la sérénité. Quand enfin, l'ascenseur avait été appelé et qu'une personne me rejoignait à l'intérieur, je faisais mine de m'être trompée, ou d'avoir oublié d'appuyer sur le bouton, profitant d'une nouvelle présence pour m'envoyer à bon port. Je perdais un temps fou, mais c'était assez amusant et cela m'évitait de mobiliser quelqu'un pour m'accompagner à chaque fois.

Un jour, alors que je voulais aller au troisième, j'atterris malencontreusement au second. Un jeune homme entra. Comme d'habitude, je sortis mon traditionnel : « Ah mince ! C'est le deuxième ? J'ai oublié d'appuyer sur trois ! » Sa réponse ne se fit pas attendre :

— Ça t'arrive souvent, dis-moi !

— Euh... non... Pourquoi ? (Je me demandais si mon stratagème avait été percé à jour.)

— C'est la deuxième fois que tu me fais le coup. Non seulement tu oublies d'appuyer sur le bouton mais, surtout, tu ne te souviens pas de moi.

Il hésita, puis il surenchérit en gloussant :

— En plus, pour un étage, tu pourrais prendre les escaliers comme tout le monde !

Sa blague était à double tranchant, et il en était très fier. J'aurais pu m'offusquer, l'envoyer promener, être blessée. Mais non, son insolence me prit de court et son air sarcastique semblait me défier. Je préférais mille fois ça à un énième regard compatissant. Il appuya sur le bouton *trois*, et je décidai d'entrer dans son jeu.

— C'est vrai, dis-je alors en sortant brusquement de l'ascenseur avant que les portes se referment.

Dans un mouvement de spasme mécanique, je me retrouvai dehors, et avant que la cabine ne s'envole dans les étages, nous eûmes à peine le temps d'échanger un « tu vas où ? » inquiet

75

suivi d'un « prendre l'escalier » moqueur, qu'il n'eut sûrement pas le temps d'entendre entiè-rement. Vous vous douterez que je n'ai pas *vraiment* pris l'escalier. J'ai fait mine d'y aller avant de faire demi-tour une fois qu'il avait disparu, et de retourner attendre qu'un ascen-seur s'ouvre. Je n'attendis pas longtemps. Les portes s'ouvrirent à nouveau, et il était toujours là, adossé au mur, les jambes croisées noncha-lamment.

— Je parie que tu as encore oublié d'ap-puyer sur le bouton.

Puis il ajouta :

— Je m'appelle Eliott.

Il avait de grandes lunettes qui cachaient des yeux bleu outremer, et la maigreur d'un corps allongé d'adolescent qu'on aurait figé à jamais.

Eliott était directeur artistique, fraîche-ment diplômé d'une prestigieuse école d'arts graphiques. Je n'arrivais pas à savoir si sa suffi-sance était feinte, mais l'insolente légèreté qui se dégageait de lui était, elle, bien authentique. Il semblait s'amuser lui-même de l'irrévérence de son être, comme si la spontanéité de ses paroles le surprenait au fur et à mesure qu'elles sortaient de sa bouche. Un funambule en équi-libre sur le fil de sa propre pensée.

À l'inverse d'un rideau de théâtre qui se referme pour clore une scène, les portes de l'ascenseur s'ouvrirent une dernière fois, nous renvoyant tous deux à nos activités respectives.

La journée fut longue. L'équipe de BelHair était sens dessus dessous à cause d'une histoire d'extensions capillaires non validées par le client. Il avait alors fallu retourner le film dans l'urgence, mais le nouveau mannequin, qui posait à moitié nue, avait une vilaine marque de chaussettes sur le mollet – et pour cause, il neigeait dehors – qui avait contraint toute l'équipe à attendre que celle-ci disparaisse afin de tourner dans des « conditions décentes ». Les mails fusaient, vociférant que « c'était un manque total de professionnalisme que de porter des chaussettes quand on devait shooter une scène nue » ! Au milieu de toute cette agitation, je trouvai en fin d'après-midi un message d'Ali qui me disait qu'il était désolé car il ne pourrait pas venir me récupérer le soir, mais qu'un remplaçant, Farid, viendrait me chercher à 20 heures. Soit. J'avais d'autres chats à fouetter. Pour couronner le tout, Mathilde m'avait envoyé un mail lapidaire : « Peux-tu stp me traduire ces publicités pour demain ? » « *canlylyk dolu saç* », titraient-elles en grand. Des paragraphes entiers de texte accompagnaient l'image d'une femme souriante aux cheveux beaucoup trop brillants. Qu'est-ce que c'était encore que cette langue ? Du roumain ? Du créole ? Je n'en avais pas la moindre idée. Ces *i* étranges sans points me laissaient perplexe. Je demandai à mes voisins de bureau qui n'en savaient pas plus que moi. Je me résignai donc à taper ces mots étranges sur Google, et découvris, bien embarrassée, que c'était du turc. Je me risquai à écrire à Mathilde que je ne parlais pas un mot de turc, et lui demandai si elle connaissait quelqu'un qui pourrait m'éclairer. Elle me répondit quelques secondes plus tard « Non », et un deuxième « C'est urgent » suivit aussitôt. Ça avait le mérite d'être clair. Je passai donc la fin de ma journée à tenter tant bien que mal de traduire ces maudites affiches turques. « Pour des cheveux remplis avec kératine briller puis énergisants ». Cela ne ressemblait à rien. Je ne comprenais rien, et j'en avais assez. Tout ce cirque me fatiguait. Je décidai alors de descendre attendre mon chauffeur dans le hall. Il était 19 h 54, de toute façon il n'allait pas tarder.

J'attendais sur le trottoir depuis plus de vingt minutes. Mais étonnamment je n'étais pas pressée de rentrer. Je n'avais même pas encore appelé Farid, le remplaçant, pour savoir où il

était. J'aurais peut-être dû m'inquiéter et vérifier s'il était bien en route et si quelqu'un venait
bien me chercher, mais j'avais envie de savourer
ces quelques minutes de vide inopinées. Pour
une fois que j'étais seule, et que toute l'organi-
sation que j'avais dû mettre en place connaissait
un dysfonctionnement minime, je me sentais
libre. Parfois, quand l'envie d'être seule dans
mes pensées, le plaisir rare de n'avoir personne
à qui parler pendant l'heure de voiture qui me
séparait de chez moi me prenait, je décomman-
dais mon chauffeur et rentrais seule, par mes
propres moyens. Ne pouvant prendre le métro,
je combinais bus, RER et « marche à pied » – si
tant est que l'on puisse dire qu'une personne
en fauteuil se déplace à pied. Je mettais alors
presque deux heures, et souvent, je rencon-
trais de nombreux obstacles. Entre les rampes
électriques du flanc du bus en panne, et les
ascenseurs du RER hors service, ma routine
« voiture boulot dodo » se voyait bouleversée
par un « métro » lourd d'aventures. Arrivée
chez moi, excédée et épuisée, je me promet-
tais de ne plus jamais recommencer, et puis
quelques semaines après, l'appel de l'aventure
se faisait entendre à nouveau.

Je m'étais « adossée » au mur extérieur de
l'agence, et attendais toujours, les yeux dans le

vide. Plusieurs passants s'étaient inquiétés de savoir si j'avais besoin d'aide. Je répondais non en souriant poliment à chaque fois, amusée, mais surtout lassée. L'attente ne m'allait décidément pas. J'avais envie que ce trou noir dans ma journée dure encore. Je me demandais ce que Mathilde pouvait bien faire à cette heure-ci à São Paulo. Elle ne voyait jamais ses enfants. Avais-je vraiment envie d'une vie où je devrais tout sacrifier pour un nouveau système de fermeture de bouteille de shampoing ? Je n'en étais plus si sûre. J'étais fatiguée.

— Qu'est-ce que tu fais ?

Une voix familière me fit soudain sursauter. Eliott était sorti fumer.

— Rien. J'attends.

— Ton chauffeur ? Il arrive quand ?

— Aucune idée. Mais comment tu sais ?

— T'es pas très discrète quand il te dépose juste devant avec sa camionnette, répondit-il en riant.

J'étais un peu gênée. C'était la deuxième fois qu'il me prenait en flagrant délit d'anormalité. Ces petits détails du quotidien, bouton d'ascenseur ou camionnette trop blanche, me semblaient d'habitude inconsistants. Je n'en avais la plupart du temps même pas conscience. C'était comme ça. Ma manière de contourner les obstacles pour parvenir à mener une vie normale. Mais même si la finalité était la même, je me rendais compte que la forme, elle, ne l'était pas, et suscitait l'attention. Je n'aimais pas que mon chauffeur me dépose devant la porte ni qu'il se gare en double file. Je trouvais ça trop voyant. J'aurais préféré passer inaperçue et que tous mes collègues pensent que je venais en métro, comme n'importe quel employé. J'avais d'ailleurs appris consciencieusement le plan des lignes de Paris, histoire de me fondre dans le décor et de ne surtout pas éveiller les soupçons. Ainsi lors de n'importe quelle discussion anodine, je me faisais un malin plaisir de lever les yeux au ciel en soupirant « La ligne 13, de toute façon, c'est toujours le bordel le matin » ou encore « Tu vas gare de Lyon ? Mais prends la 14, c'est plus rapide ! »

Évidemment, malgré tous ces efforts, je n'avais jamais osé demander à mon chauffeur qu'il m'attende plus loin, j'aurais eu peur de le froisser en lui faisant comprendre que j'avais honte. Et maintenant, j'étais grillée.

— T'en veux une ? me demanda-t-il en me tendant un paquet de Dunhill bleu.

En temps normal j'aurais répondu non car il m'était strictement interdit de fumer. Mais cette fois-ci j'éprouvais comme le besoin de me racheter pour toutes les bizarreries qu'il avait démasquées. Je ne voulais surtout pas le laisser penser que j'avais une santé fragile, me marginaliser une fois de plus, alors j'acquiesçai.

— Il vient te chercher à quelle heure ?

— Je n'en sais rien.

J'aurais pu répondre la vérité, 20 heures, mais j'avais envie de feindre une ébauche de liberté comme si, pour une fois, le temps n'était pas un problème.

— Tu vas attendre ici toute seule, sur le trottoir ?

Je me rendis compte que ma prétendue liberté avait l'air beaucoup moins cavalière que prévu. Pour couronner le tout, je manquai de m'étouffer en inhalant une bouffée qui me brûla la gorge. Je n'avais pas fumé depuis ma sombre époque adolescente où je cherchais désespérément à me faire virer. Et encore, je crapotais pour l'effet de rébellion seulement. Ce n'était pas le moment de perdre la face une fois de plus.

— Oui.

J'accompagnai ma réponse minimale et énigmatique d'un regard très sérieux et d'une expiration de fumée très blanche.

— Tu ne préfères pas qu'on attende en face au PMU ?

J'hésitai. Je n'avais pas l'habitude de prendre ce genre d'initiatives à l'improviste. Quand je voulais boire un verre, je prévenais mon chauffeur deux jours avant pour qu'il passe me prendre un peu plus tard. Mais je me ravisai en pensant qu'après tout, j'aurais l'air moins idiote à attendre en face que toute seule plantée sur le trottoir comme une malheureuse.

Le PMU était un bar miteux aux tables poisseuses et à la salade mal lavée, qui aurait déposé le bilan à coup sûr sans l'arrivée de l'agence juste en face cinq ans auparavant. Le propriétaire avait alors connu un revers de fortune historique et le bar était rempli du matin au soir de publicitaires qui venaient « faire une pause ». Dans le jargon, faire une pause, ça voulait dire aller prendre l'air, s'absenter une petite heure de l'agence pour boire un coup ou faire du shopping, et revenir tranquillement, l'esprit reposé, plus créatif. Au PMU, les pubards branchés côtoyaient les ivrognes du quartier. Un œil novice n'aurait d'ailleurs pas pu différencier les deux espèces car toutes deux arboraient des cheveux longs à la propreté douteuse, une barbe de trois jours, une épaisse chemise en laine à carreaux, la main serrée sur une pinte de bière. La seule différence était que les poivrots buvaient de la Kro tandis que les pubards tenaient une chope de Leffe dans une main et un smartphone dans l'autre. Tout le monde à l'agence ne jurait que par le PMU, comme s'ils étaient fiers d'avoir adopté un endroit aussi crasseux dont seul un regard de fin connaisseur permettait d'apprécier les charmes invisibles. Il était ainsi devenu une annexe de nos bureaux, et une salle de réunion de substitution.

Nous nous attablâmes sur la terrasse, face à l'emplacement habituel que mon chauffeur aurait dû occuper. C'était un des premiers soirs de mars où il faisait bon dehors. J'avais décidé lâchement de ne pas fumer ma cigarette et de la laisser se consumer l'air de rien. Je regardai l'heure : 20 h 40 et toujours rien. Peut-être qu'il y avait eu un malentendu et que le remplaçant n'avait pas prévu de venir. J'aurais sans doute dû m'inquiéter, mais je décidai de régler ça plus tard.

— Deux pintes de Leffe, s'il vous plaît.

— Avec une paille, ajoutai-je.

Il me regarda d'un air étonné. Je m'apprêtais à me justifier, mais il passa à autre chose.

— Alors, raconte-moi, ça fait combien de temps que tu te promènes dans les ascenseurs de l'agence ?

— Trois mois.

J'étais partie pour passer un moment avec lui, alors je baissai la garde. Après tout, il n'avait pas l'air méchant.

Le serveur nous apporta deux verres ruisselant de mousse, et me tendit deux pailles.

— Vous préférez laquelle ? La rouge ou la bleue ? me demanda-t-il avec une bonhomie presque crispante.

Je saisis celle qui était la plus proche sans prêter attention à la couleur, ni même à ce qu'il venait de dire. Il laissa l'autre paille sur la table collante et s'en alla, l'air satisfait. Eliott me regarda comme s'il essayait de sonder mes pensées.

— Ça doit être chiant tous ces gens qui t'infantilisent à longueur de journée.

— Non, ça va. Enfin, peut-être, j'en sais rien, je ne me suis jamais posé la question. Je pense que ça part d'un bon sentiment, ce n'est pas bien méchant.

Il haussa les épaules, et prit la paille restante dans son verre.

— Allez, à ton chauffeur en retard ! trinqua-t-il.

À ce moment-là, je compris que c'était sa façon à lui de baisser la garde, de cesser de m'observer et de se poser des questions.

Nous passâmes un long moment à parler, de l'agence d'abord, puis à échanger sur nos vies respectives. Il se mettait constamment en scène, racontant des histoires incroyables, et s'amusant beaucoup de ses propres propos. Je me doutais que c'était quelqu'un de fier et un peu orgueilleux, mais sa spontanéité et la facilité avec laquelle il sociabilisait l'excusaient aussitôt. Avec l'alcool, les maladresses se dissipèrent, et j'avais finalement l'impression de boire un verre avec un vieil ami. Son amour-propre en était presque attendrissant.

À 21 h 15 j'entrepris malgré tout d'appeler le numéro du remplaçant qu'Ali m'avait laissé. Il faisait nuit depuis un moment, je commençais à m'inquiéter et à me demander comment j'allais rentrer chez moi. Après deux sonneries, quelqu'un répondit avec une voix tellement dynamique qu'elle me fit sursauter.

— Allô ?
— Oui, bonsoir, c'est Charlotte.
— Allô ?
— Oui. Bonsoir, Monsieur. Je voulais savoir…
— Allôôô ?

Un bruit de moteur semblait couvrir ma voix et crachait dans mon téléphone. Il ne m'entendait pas du tout.

— C'est Charlotte. Vous êtes où ?

— Oui, salut, Charlotte. J'arrive, là. J'ai dû partir faire un détour pour livrer un colis mais je suis sur la route. T'inquiète pas, j'arrive.

Il raccrocha. J'étais sceptique. Nous recommandâmes une seconde bière. Au moment où le serveur revenait vers vous avec deux pintes aussi ruisselantes que les premières, une voiture déboula à toute allure dans un crissement de pneus et un bruit de basses assourdissant. Elle pila devant l'agence en face de nous. J'espérais que ce chauffard n'était pas mon chauffeur, et je guettais, inquiète, à travers la vitre pour voir son visage. Un jeune au crâne rasé avec un jogging rentré dans ses chaussettes sortit de la camionnette en réajustant ses lunettes de soleil. Je lançai un regard inquiet à Eliott, comme pour le supplier de ne pas me laisser rentrer avec ce type. Mon probable chauffeur traversa la rue et entra dans le PMU sans me dire un mot. Après tout, ce n'était peut-être pas pour moi. Quelques secondes plus tard, il ressortit en déchirant le plastique d'un paquet de cigarettes neuf. Ses lunettes de soleil chromées

m'empêchaient de déterminer s'il m'avait vue.
Il prit une clope, saisit une chaise à la table
voisine, et s'assit à notre table en s'affalant.

— Je peux te taxer ton feu, mec ?

Eliott s'exécuta, impassible. Je me décompo-
sai, ahurie.

Je regardai les cinquante centilitres de bière
qui me restaient, ne sachant s'il fallait les boire
ou le suivre. Puis je me demandai si au fait,
c'était bien lui, Farid. Il rendit son briquet à
Eliott, et me dit, anéantissant définitivement
tout espoir :

— Vas-y termine, je suis pas pressé.

9.

Depuis le départ de Claude Pichard, j'avais été amenée à accueillir dans ma routine quotidienne trois chauffeurs différents qui se succédaient immanquablement.

Ali venait me chercher le lundi et le mardi, Farid le jeudi et le vendredi, et le mercredi un nouveau chauffeur était entré dans la boucle. Il s'appelait Alain. Je me demandais où le patron avait réussi à recruter des chauffeurs aussi abracadabrants. Personnellement, à part Ali, je n'aurais jamais laissé une chance aux deux autres, et plusieurs fois, j'avais songé à appeler leur responsable pour lui laisser entendre qu'il avait dû oublier, lors de son processus de recrutement, que j'aurais à endurer la présence de Farid et Alain deux heures par jour dans l'espace relativement restreint d'une Renault Kangoo.

Ali était le plus rassurant des trois. Il conduisait doucement, et savait parfaitement gérer les temps de parole, ce qui n'était pas le cas d'Alain, véritable moulin à paroles. Il parlait durant tout le trajet, et me faisait un peu peur. C'était, soi-disant, un ancien philosophe. Il avait une quarantaine d'années, et portait toujours un bonnet en coton blanc à rayures bleu marine. Il passait son temps à me raconter dans le menu détail toutes ses lectures ésotériques de la veille, et à me faire part de ses grandes théories sur la réincarnation, les esprits et le Mal. Au début je l'écoutais par intérêt, puis par politesse, en enfin par défaut. Une fois, à un feu rouge, il avait allumé un bâton d'encens dans la voiture qu'il avait posé consciencieusement sur le tableau de bord. Il m'avait alors regardée dans le rétroviseur et m'avait annoncé très solennellement : « Cette voiture, c'est notre temple. » La première fois, je m'étais dit qu'il était complétement cinglé, et je m'étais juré de ne jamais remonter dans sa voiture. Et puis il était revenu me chercher, et évidemment, je m'étais dégonflée. Au fond, il était gentil, bien que je le soupçonnais de flirter avec les drogues douces, ce qui était un peu embêtant étant donné son métier de chauffeur.

Farid, lui, était son contraire absolu. Il avait tout de la racaille de banlieue que mon éducation m'avait appris à fuir comme la peste. Il écoutait du rap à fond dans la voiture et sifflait les filles aux feux rouges. Au début, lui aussi me faisait peur. Il passait son temps au téléphone à parler de livraisons de colis que je trouvais fort suspectes, et à raconter ses parties de jambes en l'air à ses « frères ». Il était d'origine algérienne comme Ali, qui continuait de me traduire Radio Orient consciencieusement. À force, et contre toute attente, j'avais fini par comprendre quelques phrases en arabe, ce qui me permettait d'espionner les étranges conversations de Farid, qui ne se doutait de rien. Une fois, il avait appelé un de ses copains : « Et mon frère, devine qui j'ai sauté la nuit dernière ? Ta cousine ! » et avait ensuite éclaté de rire tellement fort qu'il était devenu tout rouge et en avait pleuré pendant trois longues minutes, si bien que je me demandais s'il était encore en état de conduire. Apparemment, c'était très drôle. Entre deux coups de fil, il me lançait un petit « Ça va, Miss ? » narquois, et montait le volume de la radio pour couvrir ma réponse.

Un beau matin, en me déposant à l'agence, il raccrocha son téléphone, me fit descendre du coffre, et me demanda d'un ton railleur :

« Au fait, ton petit amoureux, il va comment ? »
Je n'avais pas de « petit amoureux », mais
me doutai qu'il faisait allusion à Eliott.
Évidemment, il m'avait aperçue une fois en
compagnie d'une personne du sexe opposé, et
son esprit réduit se plaisait à croire qu'il était
mon seul ami, voire pire, que j'en étais folle-
ment amoureuse, comme si mes fréquenta-
tions sociales, amicales ou affectives étaient
limitées, voire inexistantes. Je ne me lassais pas
d'observer que les limites de l'infantilisation
à mon égard étaient infinies, et que chaque
jour me réservait son lot quotidien d'imbécil-
lité profonde. J'avais beau avoir vingt-trois ans,
la majorité des gens extérieurs à mon cercle
proche se comportaient avec moi comme si j'en
avais douze, ou que mon handicap physique
avait tendance à déteindre sur mon intellect.
À chaque fois, même si ces réactions m'aga-
çaient profondément, je m'efforçais de faire
comme si de rien n'était.

La remarque de Farid, qui devait probablement partir d'un bon sentiment, bien que
maladroit, cristallisait toute la condescendance
débilitante qui me *rendait* handicapée. Sous
couvert d'innocence et gentillesse malhabile,
cette petite phrase me rabaissait au rang inférieur,

me signifiant clairement ma faiblesse intellectuelle et relationnelle. À ses yeux, nous n'étions
manifestement pas égaux. Et le pire, c'est que
je ne pouvais rien faire pour lui démontrer
son erreur. Lui expliquer les choses de façon
rationnelle aurait été périlleux et légèrement
pathétique. Je me voyais difficilement me
lancer dans un grand discours sur l'égalité des
êtres à 9 heures du matin sur le trottoir entre les
klaxons impatients et le brouhaha du camion-
poubelle qui bloquait la rue. M'énerver était
tentant, mais cela renforcerait peut-être son
imaginaire emprunt de défaillance psychique
qui me collait à la peau. La violence physique,
enfin, m'aurait définitivement décrédibili-
sée. J'imaginais bien le ridicule de la scène où,
voulant le gifler, je m'efforcerais d'exécuter
des petits gestes pathétiques dans le vide faute
de pouvoir atteindre son visage, comme un
chat maladroit devant un bouchon de liège. La
raison aurait voulu que je m'abstienne, comme
à l'accoutumée, et que je garde la tête haute
sans relever, que j'oublie en faisant comme si
je n'avais rien vu, ni compris. Mais tout son
être me posait problème. Tout chez lui me
déclassait constamment, de sa conduite de
chauffard qui manquait de me tuer à chaque

feu rouge, à ses conversations téléphoniques qui m'occultaient, en passant par ses petites remarques désobligeantes et aliénantes. Je fus alors prise d'une crise de conscience qui me tétanisa quelques secondes sur le trottoir. Il me fallait une stratégie, et vite, mais laquelle ? Il fallait agir rapidement, car ma torpeur soudaine ne devait pas franchement jouer en ma faveur en termes de vivacité intellectuelle. Que répondre ? Que faire ? Prise de panique et sans savoir pourquoi, je répondis alors, d'un air totalement impérieux et blasé, « Moi ? Oh mais, j'ai déjà un copain », et profitai alors de son air surpris pour m'éclipser au plus vite sans avoir à entrer dans les détails de ce mensonge que je n'avais pas vu venir. Dans la précipitation, c'était la seule solution que j'avais trouvée pour reprendre le dessus et lui signifier son erreur sans perdre trop de plumes. Sauf que je devrais maintenant continuer à mentir, et endurer une liste interminable de questions indiscrètes sur une personne imaginaire. Après réflexion, ce n'était pas très malin. Mais trop tard, c'était fait.

Arrivée à mon bureau, comme tous les matins, je tirai la chaise boomerang à l'aide de la ficelle installée par l'homme-rollers, et commençai à supprimer la majorité des e-mails qui s'étaient accumulés dans ma boîte de réception pendant la nuit. Je n'en ouvrais jamais la moitié, et les mettais directement à la poubelle. Un seul coup d'œil à l'expéditeur me permettait de déterminer si le message valait la peine d'être lu ou non. Mais ce matin, un message bien particulier retint mon attention. Il provenait d'une certaine Sandrine Chambelin, qui travaillait à l'agence, mais que je ne connaissais pas.

« Bonjour Charlotte, notre équipe de développement travaille actuellement sur un nouveau sujet, pour un client qui, nous l'espérons, rejoindra bientôt l'agence. J'aimerais beaucoup te parler de ce projet. Je peux venir à ton bureau quand tu le souhaites afin de t'éviter de te déplacer. Merci beaucoup par avance. S. »

Elle avait pris la peine de mettre deux directeurs adjoints dont Barbara Venetti et Mathilde Gautier en copie de son message, ce que je trouvais curieux.

Si je ne connaissais pas cette Sandrine, elle semblait définitivement savoir qui j'étais. Bien que sa demande m'intriguât, je ne sais pour quelle raison, sa proposition de venir à

mon bureau « pour m'éviter de me déplacer »
m'agaça. Cela se voulait certes attentionné,
mais je n'avais pas envie que l'on me prenne
pour une grabataire sur mon lieu de travail.
Toute cette condescendance inutile à mon
égard me pesait. J'étais stagiaire, et je voulais
être traitée comme telle, sans traitement de
faveur particulier, bien que consciente que ma
fierté était parfois mal placée.

Je décidai alors d'ignorer son message pour
le moment, et de descendre plus tard à son
bureau, quand il y aurait plus de monde près
des ascenseurs. L'agence était encore trop
calme pour en tenter la traversée en solitaire.

★

Un peu plus tard dans la matinée, je me résolus à retrouver Sandrine. Amélia, l'assistante
de Barbara, m'indiqua qu'elle devait probablement se trouver au deuxième étage, mais
ne sachant ni à quoi elle ressemblait, ni où la
trouver exactement, je partis à sa rencontre à
l'aveugle.

À peine arrivée au deuxième, une femme
immense aux longs cheveux noir corbeau me
sauta dessus. « Charlotte ! Merci merci merci

d'avoir accepté! C'est formidable!» C'était manifestement Sandrine qui m'avait reconnue. Son enthousiasme débordant me crispa; je n'avais pas l'impression d'avoir encore accepté quoi que ce soit.

Je la suivis jusqu'à la salle de réunion traditionnellement réservée aux clients importants et aux célébrités que l'on recevait. Une cafetière fumante avait été posée sur la table avec deux tasses. Je me sentis flattée, et ne pus m'empêcher de penser que mon aide devait sûrement leur être indispensable.

Une fois installées, elle me proposa du café et saisit la cafetière, dévoilant une paille jaune qui avait été posée sur la table tout près d'elle. C'était étrange, j'étais clairement attendue. Sandrine, qui perçut mon étonnement, me fit alors un grand sourire forcé. Je compris alors que je ne savais absolument rien de mon interlocutrice, mais qu'elle avait eu le temps de m'observer sous tous les angles sans que je m'en aperçoive. J'eus soudain l'impression d'être tombée dans un piège, découvrant les prémices d'une traque qui ne faisait que commencer. Je n'avais pas la moindre idée de ce qu'elle s'apprêtait à m'exposer ni de la véritable raison de ma présence dans cette salle, mais je me sentis tout à coup extrêmement vulnérable.

Son sourire était toujours figé quand elle commença à m'expliquer :

— Merci encore d'avoir accepté. Voilà. Carrousel est en compétition contre plusieurs agences pour peut-être – on l'espère ! – gagner le budget APEH, l'Association pour l'emploi des personnes handicapées.

Je vis aussitôt où elle voulait en venir, et compris quelle était la raison de ma convocation en grande pompe. C'était un classique, dès qu'un sujet avait un rapport plus ou moins direct avec le handicap, les gens venaient m'en parler comme si j'étais experte, sans imaginer le moins du monde que cela ne m'intéressait absolument pas, et que je n'y connaissais rien. Mais ne voulant pas la freiner dans son élan, et curieuse de voir comment elle allait amener le sujet qu'elle avait manifestement anticipé, je la laissai continuer.

— C'est vraiment un sujet qui nous tient très à cœur. Le handicap, je veux dire ! Ici chez Carrousel, on aime beaucoup le handicap ! poursuivit-elle avec un sourire de plus en plus crispé.

Je manquai de m'étouffer avec mon café tant cette phrase qu'elle avait soigneusement préparée comme appât était grossière et dénuée de sens.

— Du coup, on a évidemment pensé à toi ! s'exclama-t-elle en inclinant la tête sur le côté comme pour marquer une forme de compassion bienvenue.

— Comment ça ? fis-je semblant de ne pas comprendre.

Je la voyais commencer à s'enfoncer dans une zone marécageuse, cherchant à tout prix à vouloir mettre des mots sur des choses simples sans oser les nommer. Je trouvai cela plutôt amusant.

— Eh bien, nous nous sommes dit que cette compétition serait une belle opportunité pour toi ! Tu pourrais relire ce que nous avons écrit, et nous apporter un regard d'*expert* sur la question que nous n'avons pas ! Évidemment, si on gagnait le budget, tu serais officiellement positionnée comme stratège officielle sur le dossier…

J'hésitai. Je ne me voyais pas écarter une proposition si solennelle d'un revers de la main, mais d'un autre côté, je détestais vraiment qu'on me parle de handicap, et je n'étais pas convaincue de pouvoir jouer l'*experte* dans la mesure où je ne prenais même pas la peine de m'occuper de mes feuilles de sécu. Je me résolus alors à entrer dans son jeu tout en émettant quelques réserves.

— Eh bien écoute, merci, c'est très gentil à vous d'avoir pensé à moi. Le sujet a en effet l'air très intéressant, mais pour être honnête, je ne suis pas sûre d'être experte en la matière…

Elle m'arrêta net.

— Mais enfin! Évidemment! Qui d'autre que toi pourrait avoir un regard *incarné* sur le sujet? Je suis certaine que ta collaboration nous sera tellement précieuse! Si tu pouvais relire le document qu'on a écrit, tu mettras en lumière plein d'aspects hyper intéressants qu'on n'avait pas vus!

Le sujet m'ennuyait vraiment, mais elle insistait tellement, que je commençais à croire que je leur serais effectivement peut-être utile. Et puis je pouvais bien leur rendre service une fois!

— D'accord. Écoute, je veux bien jeter un œil et voir si je peux vous aider!

— Merci! C'est vraiment génial!

Puis elle ajouta :

— En revanche, j'ai un tout petit service à te demander en plus… voilà. On pense que Carrousel ne gagnera pas, parce que même si le cœur y est, l'agence n'est pas très bonne en termes de chiffres sur l'accueil de personnes handicapées… je crois même que tu es la seule ! Enfin bref, tout ça pour dire que ça serait super si tu pouvais, en relisant le doc, rajouter un petit paragraphe sur ta situation personnelle ici… Trois fois rien hein, mais ça changerait vraiment la donne pour l'APEH !

Je n'étais plus très sûre de voir où elle voulait en venir.

— Comment ça ? C'est-à-dire… ?

— Eh bien écrire un témoignage avec une belle photo de toi en disant que tu es en fauteuil, et que même si Carrousel est mauvais « sur le papier », on t'a tellement apporté et on a tellement fait pour toi !

Son sourire se figea encore une fois, et le mien disparut. Je trouvais sa demande franchement opportuniste et dérangeante. Je n'avais pas du tout envie de me lancer là-dedans… surtout que c'était un peu faux. Certes, tout se passait bien chez Carrousel, mais je ne pouvais pas dire qu'ils aient réellement fait quelque chose en ma faveur.

Le piège commençait à se renfermer lentement. À l'écoute de cette dernière proposition, petit détail de trois fois rien, je me sentis tout à coup devenir le triste faire-valoir d'un égoïste combat politique, dans lequel je n'avais

101

de valeur que malgré moi. C'était un véritable dilemme. Déjà engagée sur la pente de la collaboration, il me semblait périlleux de faire machine arrière en criant au scandale moral. C'était l'insulter. J'hésitai.

— Écoute, Sandrine, je préfère être franche, je ne suis pas très à l'aise avec ce genre de plan… si je peux vous aider par mes compétences professionnelles, très bien. Mais je n'ai pas envie de me servir de ma situation personnelle à des fins politiques.

Je m'écoutai parler, et m'étonnai moi-même du professionnalisme qui se dégageait de mes propos. Je me sentais l'âme d'un businessman débordant de confiance en lui. Mon interlocutrice sembla elle aussi quelque peu désarçonnée. Je perçus un vacillement dans son regard, avant qu'elle n'abonde dans mon sens :

— Mais quelle bonne idée ! Tu as raison ! Je n'y avais pas pensé, mais tu pourrais effectivement tout à fait prendre la stratégie en main vu ton profil, tes études et ton rôle ici ! C'est de loin la meilleure solution ! Quelle chance que nous ayons la même vision !

J'étais fière de ma négociation, et d'avoir l'opportunité d'être parfaitement autonome sur une question de stratégie pure. Je n'étais plus une simple stagiaire, j'avais un vrai rôle.

Sandrine conclut :

— Les directeurs commerciaux seront là cet après-midi pour la relecture finale. Georges Orméus travaille avec nous sur le sujet. Tu le connais ? C'est quelqu'un d'assez médiatique dont tu as sûrement déjà entendu parler. Bref, tout ça pour dire que ça serait bien que d'ici là, tu aies pu relire le document et nous apporter ton point de vue. Sens-toi libre de tout bousculer comme tu l'entends ! C'est vraiment *ton* regard qui nous importe ! Je t'envoie tout ça, et on se revoit tout à l'heure !

En retournant à mon bureau, j'envoyai un message à Eliott pour lui dire que j'avais été nommée planneur stratégique sur un dossier de compétition. J'allais en plus travailler directement avec des directeurs reconnus pour la première fois ! C'était finalement une très bonne opportunité, loin de la manipulation opportuniste qui avait commencé à poindre. J'avais réussi à retourner la situation à mon avantage et j'en étais fière.

J'ouvris le document de Sandrine avec beaucoup d'intérêt. J'avais toujours détesté les sujets liés au handicap mais pour une fois j'avais très envie de m'y intéresser et de donner le meilleur pour faire mes preuves. Après tout, la fin de mon stage s'annonçait dans quelques mois et il me faudrait alors trouver un travail dans un marché saturé et ultracompétitif. Toute opportunité était bonne à prendre.

Je fus surprise par le nombre de points sur lesquels j'étais en désaccord. De nombreuses phrases me gênaient, je les trouvais maladroites en tant que personne concernée. Je pris donc chacune de mes remarques en note en tentant d'être le plus explicite possible afin que Sandrine et les directeurs commerciaux puissent les intégrer au mieux. J'écrivis près de huit pages de commentaires. Ce sujet, loin de mes préoccupations cosmétiques et capillaires quotidiennes, était finalement plutôt intéressant.

Mathilde qui était encore à l'étranger m'appela. Elle avait vaguement entendu parler du projet APEH mais n'était pas tout à fait convaincue des raisons de ma participation. Elle qui était d'ordinaire si enthousiaste émit quelques réserves. Je tentai de la rassurer en lui racontant mon habile négociation et le fait que je travaillais sur le sujet uniquement pour mes compétences professionnelles. Elle se tut quelques instants et finit par conclure :

– Justement Charlotte! Si ce sont vraiment tes capacités professionnelles qui les
intéressent, tu n'es pas plus qualifiée que
quelqu'un d'autre pour travailler sur ce sujet.
Au contraire, ton domaine d'expertise c'est
la beauté et je pense que ça devrait le rester.
Ta priorité doit absolument rester le budget
BelHair.

J'acquiesçai vaguement et abrégeai notre
échange. J'avais l'impression qu'elle essayait
de m'empêcher de voler de mes propres ailes
pour que je reste son assistante. Déterminée, je
décidai de lui montrer que j'en étais capable.

À 15 heures, je rejoignis l'équipe dans la
même salle qu'auparavant. Tous me remer-
cièrent chaleureusement. Ils avaient très envie
de gagner ce budget. Sandrine ouvrit à nouveau
le document et le projeta sur le grand écran. En
guise d'ouverture, elle avait concocté un organigramme de toute l'équipe qui avait travaillé
sur le sujet. Je vis mon nom accompagné d'une
case vide à laquelle était destinée une photo
d'identité. J'étais la seule à ne pas encore avoir
été photographiée.

Tout le monde se retourna vers moi.

– Il nous faut absolument une belle photo
de toi! Georges va monter au studio avec toi

pour te shooter! Allez-y maintenant, comme
ça on peut tout boucler dans la foulée.

J'étais sceptique. Je n'avais pas signé pour
une photo. Mais bon, tout le monde en avait
une, alors je n'allais pas faire de caprice maintenant.

Je suivis donc Georges jusqu'au studio et fus
étonnée de voir qu'il n'y avait aucun photo-
graphe qui nous attendait. Je le laissai s'af-
fairer et ajuster le matériel. Il n'était pas très
chaleureux et faisait échouer toutes mes tenta-
tives désespérées d'entamer une discussion
sympathique. Il alluma un écran de télé géant
et y afficha une vue panoramique des toits de
Paris, fenêtre digitale sur un paysage fantasmé
à la limite du mauvais goût.

— Installe-toi devant, m'indiqua-t-il sèche-
ment.

Je trouvais que cette mise en scène sonnait
tristement faux, et ne voyais pas l'intérêt de
faire croire aux clients que nous disposions
d'une telle vue alors qu'ils devaient très probablement connaître nos locaux. Cela me donna
l'impression d'être une vulgaire touriste coincée dans un photomaton.

Je m'exécutai néanmoins sans broncher et à
peine installée, il m'arracha une vingtaine de

portraits en une fraction de seconde. Un air de satisfaction jaillit alors sur son visage.

— Elles sont bien ?

Je me risquai timidement à demander si je pouvais les voir.

— Ne t'inquiète pas, elles sont très bien.

Sa réponse claqua.

Il s'empressa de récupérer la carte mémoire et transféra les photos à Sandrine afin qu'elle termine l'organigramme.

Nous retournâmes dans la salle de réunion relire le document et discuter ensemble de mes remarques à intégrer. Sandrine, qui était en train de terminer quelques corrections de mise en pages, afficha la fameuse présentation de l'équipe. Mon sang ne fit qu'un tour. Je sentis une vague brûlante de colère s'emparer de mon corps, un fourmillement chaud et étourdissant coulait dans mes veines, venant chatouiller chacun de mes nerfs. Et soudain, je compris qu'ils s'étaient servis de moi comme d'une vulgaire mascotte. Chacun des membres de l'équipe était représenté par une photo d'identité classique, un visage coupé aux épaules. Sauf moi. La photo n'avait délibérément pas été recadrée, m'exhibant contre mon gré de la tête aux pieds, pleins phares sur mon fauteuil. On ne voyait que ça. Cette photo puait l'artifice, elle criait : « Regardez comme nous sommes des gens bien, nous avons même travaillé avec une personne handicapée. Confiez-nous votre budget, nous savons de quoi nous parlons. La preuve. » Leur message était tellement opportuniste et grossier que je me demandai un instant si leur intention était bien réelle.

— Voici donc l'équipe, passons à la diapositive suivante.

Apparemment oui. Personne ne broncha, et j'observai que chacun semblait feindre l'impassibilité la plus absolue.

J'étais tellement ahurie que je ne trouvai même pas la force de demander des explications. De toute façon, ils auraient probablement fini par trouver une justification quelconque pour m'endormir à nouveau.

— Charlotte nous a fait part de ses remarques très pertinentes concernant ce paragraphe.

Je sentis plusieurs paires d'yeux se diriger vers moi, et tentai alors tant bien que mal de sortir de ma torpeur, de reprendre mes esprits et d'agir comme si de rien n'était.

— Euh, oui.

Les paires d'yeux continuaient de me fixer. Elles attendaient manifestement que je m'exprime. Dans un effort surhumain, j'entamai alors :

— Au sujet de la partie Promouvoir la « normalité » dans l'entreprise, je ne suis pas sûre qu'il soit très habile de mettre des guillemets à normalité. C'est justement ça l'enjeu de notre mission. On ne peut pas dire la normalité et en même temps signifier qu'on ne le pense pas vraiment en mettant ces guillemets.

J'étais assez fière de la clarté et de la détermination de mon discours, alors que j'étais totalement engourdie et tétanisée quelques secondes plus tôt. Peu importait leur petite manipulation, j'allais reprendre le dessus et apporter plus qu'une photo pathétique à ce projet.

— Oui. Tu as raison. Je comprends très bien ton point de vue, répondit Sandrine. Qu'en pensez-vous ?

Un bref silence s'installa pendant lequel je me demandai si j'avais finalement bien fait de me dresser seule contre ces soi-disant pontes de la publicité.

Parmi les différentes paires d'yeux qui regardaient dans le vague, un sourcil mi-sceptique mi-expaspéré initia soudain une esquisse de mouvement dans cette salle plongée dans le malaise et l'indifférence.

— Ecoute… amorça mollement la paire de sourcils.

Soudain, je découvris le visage qui l'entourait. C'était celui de Georges Orméus. Tout son être sembla alors se rassembler, sa paire de sourcils, son poing sur la table et son air cruel ne formant plus qu'un seul être méprisant.

— L'expert du handicap ici, c'est moi. Je crois que nous n'avons plus besoin de toi. Merci pour ta participation.

Assommée par cette réplique que je n'avais pas vue venir, je ne compris pas immédiatement ce que j'étais censée faire, ni même ce qu'il disait. Était-ce possible ?! Non, c'était trop gros pour être vraisemblable, j'avais dû mal comprendre.

— Tu peux t'en aller.

Puis il ajouta :

— Sandrine, ouvre-lui la porte s'il te plaît, on continue.

Je me sentis humiliée. On s'était servi de moi, je n'avais rien vu, et on se débarrassait de moi comme une vulgaire mouche qu'on faisait sortir en ouvrant la fenêtre. Les quelques mètres qui me séparaient de la porte, accompagnés du bourdonnement du moteur de mon fauteuil qui avançait vers la sortie, furent les plus longs et les plus pénibles de mon existence. J'avais envie de disparaître instantanément en claquant des doigts sans avoir à me mouvoir et à endurer les regards de mes collègues, que tout le monde oublie aussitôt l'humiliation que je venais de subir.

Mes joues étaient brûlantes et écarlates, mes lèvres tremblaient et je sentais mon sang marteler mes tempes. Je me dirigeai vers les ascenseurs, en tentant de contenir mes larmes. En vain. Mes yeux s'embuèrent, et je sentis une grosse larme ruisseler lentement sur ma joue brûlante. Quelques secondes plus tard, les portes de l'ascenseur s'ouvrirent pour laisser sortir un stagiaire pressé dans un sillon de tabac froid, à qui je demandai au vol de m'expédier sur la terrasse en appuyant sur le bouton 7. J'avais besoin d'air.

J'arrivai sur la terrasse au moment où Antoine, l'homme-rollers, écrasait son mégot dans le cendrier géant. Son téléphone portable semblait le rappeler à l'ordre. Néanmoins, dans un souffle de fumée, il me fit un petit signe et me demanda comment j'allais tout en amorçant sa descente vers l'étage inférieur. C'était une de ces interjections cordiales et sociables,

111

mais dépourvue de la moindre valeur, du moindre souci de réponse. Un « ça va *phatique* » comme disent les linguistes, sans autre but que maintenir le lien social. Étant donné qu'il ne s'attendait clairement pas à ce que je lui réponde « non », et que je n'avais pas envie de parler, je répondis d'un simple sourire affirmatif pour ne pas le retenir. Étonnamment, il sembla déceler mon mensonge, et alors que je le pensais déjà reparti pour de bon, il s'arrêta dans sa course, comme si une main invisible l'avait rattrapé par le col de son tee-shirt à rayures.

— C'est un petit oui ça…, mais son téléphone bipa à nouveau, le forçant à conclure : Viens me voir à mon bureau tout à l'heure, j'ai quelque chose qui te remontera le moral !

Ce toit-terrasse était un véritable sas de décompression. Plusieurs fois par jour, les employés au bord de la crise de nerfs montaient reprendre leurs esprits, boire un café, fumer une cigarette, et s'allonger sur les transats prévus à cet effet. Aucune surveillance, et une vue panoramique sur l'opéra Garnier, Beaubourg et le Sacré-Cœur. Ici tout était calme, on entendait à peine le bruit de la circulation quelques mètres en dessous. Mais je ne pouvais pas m'empêcher de repenser à ce qui venait de se passer. Le pire, c'était que je m'étais exécutée, sans protester ; aveu public de faiblesse. Moi qui me sentais si forte, capable de jouer un vrai rôle d'une main de maître, envers et contre tous, je m'étais couchée à la première remarque, comme un animal trop bien dressé. Avais-je jamais eu sur ce projet la moindre valeur pour mes capacités professionnelles ? Ils avaient manifestement tout prévu depuis le début.

Soudain, le bruit strident d'une sirène interrompit tout : le calme ambiant et mon chagrin. En une fraction de seconde, je repris mes esprits et tentai de comprendre d'où venait cette alarme si forte. C'était une alerte incendie. Et ma surprise se transforma en légère panique quand je m'aperçus que j'étais seule sur le toit, sans personne pour m'appeler l'ascenseur. Et puis je me rendis compte que de toute façon les ascenseurs étaient coupés en cas d'incendie. J'étais une grande habituée des exercices d'évacuation, puisque quand j'étais à l'école, faute de solution et de moyen pour me descendre, la directrice avait décidé que je resterais dans la classe en attendant que les élèves remontent, « puisque c'était toujours pour de faux ». Je restais donc seule, la sirène hurlant dans mes tympans et, petite, je me sentais un peu fière de cet exploit, comme si je bravais le feu pendant que mes lâches camarades fuyaient sur le trottoir d'en face. Je détestais les alarmes incendie. Alors, la fatigue et la lassitude reprirent le dessus, je n'avais plus la force de paniquer et me contentai d'un sobre « … et merde ».

10.

Coincée seule sur le toit, assourdie par la sirène hurlant depuis un moment, je commençais à trouver le temps un peu long. Les sons de l'alarme finissaient par se décomposer dans ma tête, et ne formaient plus une phrase liée, mais une accumulation de tonalités hachées qui se succédaient indéfiniment. Je m'approchai de la balustrade, et essayai d'apercevoir le trottoir en contrebas. Les premières personnes commençaient à évacuer l'immeuble et à s'attrouper sur la chaussée. Et là le doute m'envahit. Et si ce n'était pas un entraînement ?

Soudain je pris conscience que je n'avais pas la moindre idée de ce qui se passait. J'étais seule, sans aucun moyen de descendre de la terrasse, et il y avait peut-être le feu dans l'immeuble. Ma trop grande accoutumance aux exercices incendie était sans doute en train d'altérer mes réflexes et de me jouer des tours. Finalement, la panique était peut-être de rigueur... Personne

ne se doutait que j'étais là ; j'avais passé la journée avec l'APEH qui m'avait remerciée dans
le silence le plus absolu, et Mathilde Gautier
était absente. Mais comment faire ? Inutile de
crier, je m'entendais à peine penser. J'aurais pu
appeler le standard, mais en pleine évacuation,
je doutais qu'ils prennent le temps de répondre.
Alors, je me résolus à appeler Eliott. Durant
les interminables sonneries que je distinguais
péniblement, mon être tout entier suppliait qu'il
décroche. S'il n'avait pas son téléphone, j'étais
cuite.

Répondeur.

Je passai alors rapidement en revue toutes
les personnes que je connaissais à qui j'aurais
pu envoyer un message de détresse. Je n'avais
aucun autre numéro.

Dans un élan désespéré, je décidai alors
de harceler Eliott jusqu'à ce qu'il finisse par
décrocher. Mes appels échouaient lamentablement et inlassablement sur sa message-
rie. Il ne répondrait pas, c'était peine perdue.
Je commençai à avoir peur et à me sentir mal.
Physiquement mal. Comme si quelqu'un exer-
çait une pression sur ma cage thoracique.

Prise de panique, je m'approchai alors à
nouveau du bord de la terrasse, dans l'espoir
que quelqu'un m'aperçoive d'en bas. Et puis

je me rappelai que je mesurai un mètre, et que j'étais bien trop petite pour que quelqu'un ne voie ne serait-ce que le sommet d'une petite tête vingt-cinq mètres plus bas. Je m'en voulais d'être montée. Je m'en voulais de ne pas avoir écouté Mathilde. J'en voulais à Sandrine d'avoir ouvert la porte. Et j'en voulais à Eliott de ne pas entendre son téléphone. Alors, j'entrepris l'absurde et le ridicule. Je me dirigeai vers l'ascenseur, histoire de vérifier si, par hasard, je n'arriverais pas à atteindre le bouton. Dans les situations désespérées au cinéma, les personnages arrivent toujours à désamorcer la bombe une seconde avant l'explosion fatale. Peut-être qu'à mon tour, animée d'un ultime instinct de survie, j'arriverais à commettre l'impossible.

Je me contorsionnai dans tous les sens, au point que je faillis tomber de mon fauteuil. Je tentai de m'approcher le plus près possible, le bouton était toujours trop haut, toujours trop loin, inatteignable. Après réflexion, j'étais contente qu'il n'y ait personne pour me voir me débattre misérablement contre l'inertie disgracieuse de mon corps malhabile. En vain. J'étais épuisée. Je me sentais livrée à moi-même et je commençais à désespérer. Je n'étais pas dans un film, cette journée était un cauchemar. Un enchaînement de situations pénibles qui

117

me faisaient me sentir de plus en plus faible et inadaptée. Handicapée. C'était un sentiment amer et coupable.

Mes yeux se portèrent par hasard sur l'écran de mon téléphone. Un appel en absence.

Farid. Il ne manquait plus que lui.

Et la notion du temps se rappela à moi. Il était l'heure de rentrer chez moi, il devait m'attendre en bas.

Alors, un peu contre mon gré, je plaçai en lui mes maigres espoirs. Je n'avais vraiment pas envie de lui donner de quoi s'enorgueillir, ni de quoi gonfler son égo. Je savais bien qu'il serait trop content de jouer les héros, et j'entendais déjà ses railleries lourdes à souhait. Mais je n'avais clairement plus le choix.

Au son de son « allô ? » bonhomme, ma gorge se noua, et je sentis l'émotion que j'avais contenue depuis le début de la journée me submerger lentement. Ce n'était pas le moment de craquer ! Un peu d'amour-propre !

— Farid ? Je suis coincée en haut sur la terrasse ! Il y a une alerte incendie, je suis bloquée, je n'arrive pas à appeler l'ascenseur.

Après quelques secondes d'hésitation feinte et insolente, il rétorqua :

— Mmmh, je sais pas si tu as été suffisamment gentille pour que je vienne t'aider…

Je le détestais. J'étais sur le point de brûler vive, et il trouvait opportun de faire de l'humour à deux balles, de continuer à m'infantiliser comme si j'avais six ans. Puis il éclata de son petit rire de hyène, et conclut d'un ton beaucoup plus grave :

— J'arrive.

Je l'imaginai se prendre pour un héros, remonter ses lunettes de soleil mercurisées et braver les flammes dans son jogging en nylon hautement inflammable...

J'attendis longtemps. Très longtemps. Et pour cause, Farid avait pris le temps d'ameuter les foules. Il arriva sur la terrasse accompagné d'un cortège digne d'un dirigeant politique. Quatre pompiers, le responsable de la sécurité de l'immeuble, et Khadija de l'accueil. Tous haletaient, essoufflés par les sept étages qu'ils avaient dû monter à pied.

— Ça va, Mademoiselle ? demanda l'un des pompiers.

— Rien de cassé ? surenchérit Farid, goguenard.

Je n'avais qu'une envie, rentrer chez moi et oublier cette affreuse journée. Je me dirigeai donc vers l'ascenseur, prête à repartir dans la camionnette de Farid, mais j'entendis le responsable de la sécurité toussoter, comme s'il cherchait à me signifier quelque chose.

— Ça ne va pas être possible par là, Mademoiselle…

Je le fusillai du regard. J'aperçus Khadija esquisser une grimace embarrassée. Je n'étais manifestement pas au bout de mes peines, et je n'étais pas encore au courant.

— Pendant l'exercice d'évacuation, on s'est aperçus que la sonnette d'alarme de l'ascenseur ne fonctionnait pas. Alors le gars de chez Otis l'a mis hors service par mesure de sécurité.

Je ne réagis pas. Je n'avais plus envie de m'énerver, ni de paniquer, j'avais suffisamment donné pour la journée. Dans un soupir las et empreint de défaite, je questionnai :

— Alors, comment je fais pour rentrer chez moi ?

Et en un claquement de doigts, Farid se précipita sur moi, me prit dans ses bras, et les quatre pompiers se chargèrent de descendre mon fauteuil jusqu'au rez-de-chaussée. Mon corps se raidit. Je n'avais aucune envie qu'il me touche, et la perspective qu'il me porte sur sept étages, blottie contre lui sans pouvoir me débattre, me terrorisait. Je n'avais surtout pas envie de lui faire plaisir. Je me retrouvais le visage enfoui contre sa poitrine en polyester, dans une position telle que chaque personne que l'on croiserait aurait une vue plongeante sur mes fesses. Cette idée à elle seule suffisait à me crisper encore davantage. Farid sentait le parfum, une odeur de cannelle poivrée synthétique extrêmement entêtante. Mal à l'aise, je tentai de me tortiller pour me défaire de son étreinte oppressante, mais il me serra encore plus fort dans ses bras, et mes mouvements n'eurent pour effet que de me faire perdre mes ballerines, qui tombèrent derrière nous dans l'escalier.

Entre le quatrième et le troisième étage, j'eus droit à une énième remarque lourdaude :

— Hé, heureusement que ton amoureux n'est pas là ! Sinon on l'aurait rendu jaloux !

Et son rire, qui fit se spasmer sa poitrine contre laquelle j'étais plaquée, me fit ballotter dans un effluve épicé plus fort que jamais, comme une poupée de chiffon désarticulée. J'avais mal au cœur. Je me sentais affreusement mal, et fermais les yeux de toutes mes forces en attendant que cette descente infernale cesse.

Une fois arrivée en bas, je me rassis confortablement sur mes fesses et Khadija, qui avait rattrapé mes chaussures au vol, m'aida à me rhabiller. Elle était restée muette lors de son escapade sur le toit, comme intimidée par la présence des pompiers, ou de Farid. J'aimais beaucoup Khadija. Sans elle, ma vie à l'agence n'aurait pas été la même. Elle était toujours là pour m'aider dans les gestes simples et pourtant indispensables. Elle était la garante de mon autonomie professionnelle, sans que jamais mes collègues ne se soient doutés de quoi que ce soit. Je crois qu'en réalité, j'étais une des rares employées de l'agence avec qui elle avait une relation, si infime soit-elle, et ce, malgré nous.

Le fait de la voir s'accroupir devant moi pour me remettre mes ballerines perdues, sans même que je lui demande quoi que ce soit, étant encore un peu secouée, m'emplit soudain d'une reconnaissance infinie. J'étais apaisée. J'avais envie de la serrer dans mes bras, et de la remercier de veiller sur moi quand j'étais trop occupée à râler, à détester Farid ou le responsable de la sécurité. Et les maux de toute ma journée s'évanouirent.

Dans la voiture avec Farid, je fermai les yeux, et m'endormis bercée par sa conduite pourtant si brusque. Je me réveillai une fois le moteur coupé et les mouvements lancinants de la voiture interrompus. Farid n'avait pas téléphoné cette fois-ci, et était resté aussi silencieux que moi. Cela m'avait fait du bien. Je rentrai chez moi me coucher, et oublier cette journée trop intense, dans une impression étrange de coton épais imbibé d'anesthésiant.

11.

Après toutes les déconvenues de la veille, j'avais espéré naïvement que le temps cesse de s'écouler avec une récurrence aussi parfaite et immanquable ; que pour une fois, le soleil oublie de se lever, et qu'on me laisse un peu de répit. Mais c'était sans compter la précision de métronome avec laquelle Marie vint me lever et me préparer pour une nouvelle journée le lendemain matin. Ce quotidien entretenu par toutes les personnes qui se succédaient auprès de moi pour m'aider avait quelque chose de rassurant et d'extrêmement vertigineux à la fois. Je ne pouvais pas ne pas me lever, malgré toute la mauvaise volonté du monde. J'étais privée de la liberté de renoncement.

Ce fut cette fois-ci Ali qui vint me chercher. Il était le seul de mes chauffeurs avec lequel je n'étais pas inquiète, sans doute parce qu'il était étrangement normal. Comme toujours, il était heureux. Si bien que je ne m'aperçus pas immédiatement que ce jour-là, il l'était particulièrement.

— Tu sais, ma fille Sonia, elle va se marier ! On va organiser un grand mariage avec toute la famille, les amis et les collègues !

— *Mabrouk !* répondis-je, en fouillant dans ma mémoire à la recherche des expressions qu'il m'avait enseignées sur le chemin en écoutant Radio Orient.

— Ah mais tu fais partie de la famille maintenant, Charlotte ! Tu viendras au mariage ! Ils sont en train de faire les invitations en ce moment, tu viendras faire la fête avec les collègues ! En plus tu as presque le même âge que ma fille, ça serait bien !

Bien que touchée par cette invitation, je ne pus m'empêcher d'éprouver une légère panique à l'idée de me rendre à un mariage arabe auquel je ne connaissais personne, pas même les mariés, hormis peut-être les « collègues », ce qui, bizarrement, ne me réjouissait pas plus que cela... Mais je n'avais pas envie de décevoir Ali et je savais qu'il tenait sûrement réellement à ma présence.

— Avec plaisir, merci ! répondis-je avec un enthousiasme un peu amplifié. Puis, à moitié terrifiée j'ajoutai innocemment : Vous avez déjà une idée du lieu ?

— Oui, on va le faire à la salle des fêtes d'Aulnay-sous-Bois, c'est un lieu de mariage heureux, tous les cousins qui se sont mariés là-bas ont eu de beaux enfants !

Je trouvai sa réponse un peu étrange, mais surtout très inquiétante. Ce mariage s'annonçait très différent de tout ce à quoi j'étais habituée, et cela ne me rassurait pas vraiment. Mais avec un peu de chance, il aurait lieu dans longtemps, et j'aurais le temps de trouver une excuse pour me défiler.

— Ah super, c'est bien alors ! Et ça sera quand ?

— Dans un mois !

— Ah… ! C'est rapide ! C'est bientôt !

Il dut me voir faire une grimace à peine déguisée dans le rétroviseur, car aussitôt il ajouta :

— Mais viens avec un ami ! On t'enverra une invitation pour deux !

— D'accord, merci, dis-je en lui souriant, rassurée, dans le miroir.

Je m'aperçus alors que je ne voyais que très rarement Ali, Farid et Alain, le troisième de chauffeur, de face. Étant assise derrière eux dans la voiture, je n'apercevais que leurs épaules, et une parcelle de leur visage dans le rétroviseur, qu'ils ajustaient systématiquement pour pouvoir me voir à leur convenance. Nous n'échangions que par l'intermédiaire de cette minuscule lucarne réfléchissante.

En entrant dans le hall de l'agence, je me dirigeai vers le perron en haut duquel trônait Khadija. Elle passait son temps à jouer sur son portable et à envoyer des messages pour occuper ses longues journées de passivité absolue, sans vraiment prêter attention au va-et-vient permanent qui avait lieu sous son nez. Elle s'ennuyait avec nonchalance. Ce matin encore, elle était absorbée par son téléphone, mais semblait particulièrement joviale. Lorsqu'elle m'aperçut, elle me fit un petit signe, se leva de sa chaise, et termina d'écrire ce que je déduisis être un SMS avant de me rejoindre. Je la vis pouffer en descendant les quelques marches qui nous séparaient, les yeux toujours fixés sur son portable. Pour la première fois, j'eus l'impression de la déranger.

— Ça va ?

— Oui et toi ?

Elle ne fit aucune allusion aux péripéties de la veille, comme si rien ne s'était produit. Quelque part, cela me froissa qu'elle ne se soucie pas plus que ça de savoir comment j'allais, mais je me ravisai en prenant conscience de l'égocentrisme flagrant dont j'étais en train de faire preuve.

Son téléphone vibra, annonçant un énième nouveau message.

Je la regardai, curieuse et intriguée, et je vis son visage s'animer comme si elle s'efforçait de contenir un petit sourire. Elle ne parvint pas à le dissimuler, et finit par glousser à nouveau à la vue de son téléphone.

— Qu'est-ce qui se passe ?

— Rien, se ressaisit-elle. Puis elle capitula en souriant : C'est Farid.

Mon sang ne fit qu'un tour.

— Farid ?! Mon ch…

Mince, comment l'appeler ? Mon chauffeur ? Cela faisait vraiment vieille princesse douairière. Mon Farid ? Pas du tout approprié.

Je patinais.

— Farid *Farid* ?

Mais comment était-ce possible ? Comment avait-il fait pour attaquer la pauvre Khadija à mon insu aussi rapidement ? Cette annonce faisait naître en moi un sentiment étrange, un mélange d'exaspération et de frustration. Même si tout chez Farid m'énervait, et que je n'aurais voulu pour rien au monde qu'il s'évertue à me séduire, j'étais malgré tout un peu vexée d'être exclue d'office de son spectre de proies potentielles, alors que toutes les autres sans exception y avaient droit. Et puis le fait qu'il minaude dans mon dos, avec des personnes gravitant dans mon cercle de relations, a fortiori professionnelles, me donnait la désagréable impression d'avoir été court-circuitée sur mon propre terrain.

Froissée, j'eus envie de la mettre en garde. J'avais trop de fois entendu Farid parler de ses conquêtes de manière désobligeante voire insultante. Mais je me ravisai, en me demandant si ce n'étaient pas les prémices d'un insensé sentiment de jalousie qui s'emparait de moi. Alors, je quittai Khadija, et montai à mon bureau en savourant mes retrouvailles avec un ascenseur en service.

Une fois de plus, je découvris sur mon clavier un post-it de l'homme-rollers signé A. « N'oublie pas de passer me voir, j'ai quelque chose pour toi. » Cet homme me surprenait. Je ne le connaissais pas, n'avais jamais pris le temps de faire sa connaissance, ni même de discuter avec lui cinq minutes à la machine à café, et pourtant, il était étonnamment attentionné et bienveillant avec moi. Peut-être était-ce sa nature avec tout le monde, mais j'avais la très agréable sensation qu'il veillait sur moi. Je ne compris pas tout de suite la raison de son mot, puis me rappelai que la veille, sur la terrasse, avant l'alerte incendie, il m'avait brièvement parlé de « quelque chose qui me remonterait le moral ». Hantée par un mauvais réflexe, je ne pus m'empêcher de penser qu'il devait s'agir d'une énième tentative d'infantilisation, comme lorsqu'une fois au McDonald's, un serveur épris d'un élan de grande générosité m'avait offert un ballon de baudruche avec mon menu nuggets. J'avais vingt et un ans.

Je me résolus donc à y aller plus tard dans la journée, une fois mon travail pour Mathilde avancé.

Dans la matinée, j'aperçus Sandrine Chambelin qui passa à côté de mon bureau en faisant comme si elle ne m'avait pas vue. Depuis ma sortie douloureuse de la salle de réunion la veille, je n'avais eu aucune nouvelle du projet, ni d'aucun des participants. Je ne savais même pas quand aurait lieu la présentation finale devant les clients de l'APEH. Secrètement, j'espérais de toutes mes forces que les choses se passent mal et qu'ils perdent le contrat. De toute façon, leur présentation était truffée d'inepties, et vu qu'ils avaient décidé de n'en faire qu'à leur tête, ils ne devraient pas avoir trop de mal à se planter lamentablement. Je me demandais comment Sandrine se sentait vis-à-vis de moi. Elle n'avait pas l'air fondamentalement méchante, et j'imaginais qu'elle devait s'en vouloir de m'avoir vendu ce projet avec une telle ferveur pour que je me fasse ensuite publiquement humilier. Je ne pensais pas qu'elle l'ait vu venir. Mais quoi qu'il en soit, ce matin, elle avait choisi de m'ignorer royalement, peut-être pour me faire sentir que j'étais définitivement mise au banc, et qu'ils n'avaient surtout pas besoin de moi. J'hésitai à lui faire part de mon ressenti, mais l'émotion encore trop fraîche de la veille se rappela bien vite à moi. Après tout, un ballon de baudruche ne me ferait peut-être pas de mal.

Antoine avait la particularité de s'habiller comme un clown. Ses assortiments étaient tellement invraisemblables, qu'ils semblaient relever soit d'une sophistication extrêmement réfléchie, soit d'un manque total de conscience esthétique. Il ne se contentait pas de faire jurer les couleurs, ou de mal marier les motifs. Ce jour-là, typiquement, il portait un pantalon en velours côtelé prune retroussé à la cheville, laissant apparaître une affreuse paire de chaussettes de sport blanches, des baskets jaune et bleu, ainsi qu'une chemise à petite fleurs bleues surmontée d'une épaisse veste à carreaux anglaise, le tout couronné d'un nœud papillon hasardeusement assorti au bleu de sa chemise. Mais malgré ce chaos visuel et chromatique, on pouvait immédiatement voir qu'Antoine accordait une grande importance à son apparence, car il était toujours très soigneusement coiffé. Le plus acrobatique dans cette histoire, c'était que son style douteux lui conférait un petit air d'artiste supérieur, et tout le monde semblait excuser voire apprécier ce mauvais goût, parce que c'était lui. Tout chez lui respirait la fantaisie, et la sympathie.

Je me rendis donc à son bureau, résignée à faire un effort pour découvrir cet homme-rollers qui me voulait du bien, plutôt que de ressasser mon amertume de la veille en courant après Sandrine.

— Hey Charlotte! s'exclama-t-il en brandissant sa main en l'air pour que je lui fasse un check.

Aussitôt, il se ravisa, se souvenant que jamais mon bras n'arriverait aussi haut, et nous éprouvâmes tous les deux un léger malaise que nous fîmes aussitôt semblant de dissimuler – ce qui de toute évidence, ne fit qu'aggraver la situation.

Je détestais ces petits moments de malaise décuplé par un renoncement mutuel mais inavoué. Ces petites secondes de flottement où tous les efforts du monde se destinaient à gommer à toute vitesse un geste entamé mais avorté. Ces miettes de latence vertigineuse, où une personne se penche sur moi pour m'embrasser et s'arrête à mi-chemin, éprise d'une terrible crise de panique devant mon inertie et, préférant capituler, se relève.

— J'ai quelque chose pour toi, abrégea-t-il.

Il posa sa main sur l'unité centrale d'un vieux Mac posée sur son bureau, et poursuivit :

— Mais tu dois promettre que tu n'en parleras à personne. C'est un secret.

Et voilà. On était en plein dedans. Flagrant délit d'infantilisation. Je regrettais déjà de m'être déplacée. Mais étonnamment, il ajouta :

— Est-ce que tu aimes le whisky ?

Je ne comprenais plus du tout de quoi il parlait, ni où il voulait en venir. Mais son allusion à l'alcool avait le mérite de me faire reprendre du galon. Je me sentais tout à coup beaucoup moins l'air d'une fillette à qui l'on confie un secret de polichinelle.

Le problème, c'est que je n'aimais pas vraiment le whisky, mais je sentais que faire demi-tour maintenant me priverait de quelque chose, et me renverrait au stade initial. Du coup, j'étais obligée de mentir.

— Oui ! J'adore ! Pourquoi ?

— Tu t'y connais ?

— Oui un peu…

J'hésitai. Je crois que j'étais incapable de citer ne serait-ce que trois marques différentes. Je n'y connaissais vraiment rien, mais il avait aiguisé ma curiosité. Pour être convaincante, j'ajoutai donc :

— Mon père adore le whisky ! Il s'y connaît vraiment bien.

Cela ne répondait en rien à sa question me concernant, mais il sembla satisfait par ma réponse. Il poursuivit, en tapant toujours sur son unité d'ordinateur. Puis il fit glisser une des parois verticales, et je découvris, étonnée, qu'il s'agissait d'une carcasse vide qui abritait plusieurs bouteilles mordorées. La cachette idéale, à portée de main sur son bureau. Je m'inquiétai brièvement, avant de comprendre que cela expliquait peut-être sa bonne humeur constante et son style vestimentaire douteux. Mais il continua :

— Si tu veux, on a monté un club…

J'aperçus soudain toute une rangée de têtes hirsutes qui dépassaient de derrière leurs écrans d'ordinateur et nous regardaient avec bonhomie. C'était assez amusant d'observer que ce secteur entier de l'open space était occupé par des hommes, majoritairement quinquagénaires, ce qui était assez rare dans une agence de publicité où la moitié des effectifs n'avaient pas trente ans. Apparemment, tous faisaient partie du fameux club.

Je me demandai tout à coup pourquoi il m'avait proposé de les rejoindre alors que je n'avais apparemment rien en commun avec eux. Qu'est-ce qui avait bien pu lui faire penser que j'aimais le whisky ? Mais je voulais en savoir davantage.

— Un club ? Un club de quoi ?

Ma question était stupide. J'avais parfaitement compris, mais je me demandais de quoi il s'agissait très exactement. Il rigola.

— Un club secret de buveurs de whisky ! (Il resta quelques secondes à scruter ma réaction mais je ne savais pas du tout comment réagir, alors il développa.) Une fois par mois, on se cotise tous pour acheter une excellente bouteille à la Maison du Whisky. En général j'y vais le soir, d'un coup de vélo. Et on se retrouve tous vers 21 heures une fois que les autres commencent à débarrasser le plancher, dans le bureau de Bill Thomson. La dernière fois, on a gouté un Paddy, on s'est régalés.

Bill Thomson, c'était le fondateur du groupe auquel l'agence appartenait. Un Américain visionnaire, parmi les premiers grands publicitaires, mort au début des années 80. Depuis, sa femme, beaucoup plus jeune que lui, s'était attelée à reproduire la copie exacte de son bureau, avec fauteuils club d'époque et rideaux rétros, dans chacune des agences partout dans le monde. Tout était resté dans son jus, le minuscule poste de télévision avec une antenne, le cendrier en cristal et la photo de sa femme posée sur une lourde table en bois massif. Une sorte de pièce-musée en hommage à un illustre personnage qui planait au-dessus de nos têtes, dans laquelle personne n'avait droit d'aller sauf en cas de réunion exceptionnelle, ou d'événement important. Les nouveaux employés de l'agence venaient la visiter accompagnés de leur responsable, comme une sorte de baptême officiel, de rite initiatique, un peu étrange et sans raison d'être.

Mais cet endroit avait le mérite de servir de décor idéal pour un club de buveurs de whisky. Alors, bien que je n'aime pas ça, et que je n'aie pas la moindre idée de qui était membre du club, je me montrai très enthousiaste. Ce ne pouvait être qu'une chouette expérience.

12.

Depuis mon sommeil encore profond, je crus entendre la sonnette stridente de la porte d'entrée. Je jetai un regard apathique à mon réveil. 5 h 17.

J'avais dû rêver.

Je me rendormis aussitôt en savourant l'idée réjouissante de profiter d'encore 2 heures et 44 minutes de sommeil. Ah non, 43 pas 44. Peu importe, c'était trop précieux pour en perdre la moindre seconde.

La sonnette me réveilla à nouveau, cette fois-ci avec insistance. Je regardai mon réveil : 5 h 19. J'avais pourtant l'impression de m'être rendormie une heure. Qui pouvait bien sonner comme un forcené à une heure pareille ? Le timbre à répétition ressemblait à l'alarme incendie de l'agence. Cette personne avait l'air pressée. La situation devait être grave.

Seulement, j'étais coincée dans mon lit, sans pouvoir me lever pour aller ouvrir. Vu le volume sonore, je ne doutais pas que quelqu'un dans l'appartement finirait par émerger et aller ouvrir en pestant. Ce fut le cas. Mon frère, Guillaume, se leva d'un pas sourd et bourru. Son pas était caractéristique car il marchait en insistant de tout son poids sur ses talons, ce qui donnait l'impression d'un pas énervé et violent.

Ne pouvant pas sortir de mon lit sans l'aide de quelqu'un, ni même changer de position pour m'installer confortablement, j'avais l'habitude de guetter les pas de ma famille qui passaient devant ma porte, et je les connaissais par cœur, mon père, ma mère et mes frères et sœurs, ce qui me permettait de héler directement la bonne personne sur son passage. Je sentais que parfois, ils avaient envie de ne pas s'arrêter, car j'allais leur demander plein de petites choses anodines, et alors, ils hésitaient à faire semblant de ne pas m'avoir entendue, ce qui altérait le rythme et l'intensité de leurs pas qui se feutraient.

Mais cette fois-ci, Guillaume était tellement agacé par ce réveil hystérique que j'avais l'impression qu'il allait transpercer le plancher avec ses talons massifs. Je l'entendis ouvrir la porte d'entrée, échanger quelques mots inaudibles avec son interlocuteur. Tout avait l'air calme maintenant qu'il avait ouvert. Je crus entendre l'inconnu entrer, et mon frère refermer la porte avant de retourner vers sa chambre d'un pas plus souple. Au moment où il passa devant moi, je l'interrompis aussitôt, et je sentis son agacement.

— C'est rien. C'est Marie.

Marie ? Mais il était 5 heures du matin ! Elle ne devait pas venir avant 8 heures. Qu'est-ce que c'était encore que cette histoire ? Ça ne pouvait pas être elle.

L'inconnu s'affairait bruyamment dans l'entrée, et se dirigea vers ma chambre avant d'allumer la lumière violemment. Je grimaçais et ne parvenais pas à distinguer qui se tenait en face de moi. Quand enfin mes yeux oublièrent l'agression qu'ils venaient de subir, je reconnus, en effet, la silhouette robuste de Marie.

— Marie ? Mais qu'est-ce que tu fais ? Il est 5 heures !

Son visage avait l'air grave. Elle avait les cheveux en bataille. Elle ne répondit pas.

Je m'inquiétai alors :

— Ça va ?

Elle fit quelques pas et s'affala de tout son poids sur la pile de linge repassé qui avait été déposée sur le fauteuil de ma chambre.

— Olalalala non. Je suis fatiguée ! L'enfant est malade !

Je réussis à réprimer la furieuse envie de lui dire que si elle débarquait chez les gens au milieu de la nuit, c'était effectivement normal qu'elle soit fatiguée. Elle n'avait vraiment pas l'air bien. L'enfant, c'était son fils, Lionel, cinq ans. Elle ne l'appelait jamais « mon fils », ni « Lionel », mais toujours « l'enfant », ce que je trouvais très curieux.

Elle resta plantée, comme ça, sur le fauteuil en me regardant d'un œil vide, sans bouger ni développer son histoire. Elle avait parfois des façons de faire étonnantes, des réactions improbables, auxquelles j'avais cessé de réagir.

— Mais qu'est-ce qu'il a ? C'est grave ?

Elle continuait de me regarder sans broncher, et éclata d'un coup en sanglots. En temps normal, j'avais déjà du mal à la comprendre tant son accent était fort, mais cette fois-ci, je ne comprenais vraiment rien. J'entendis quelques mots épars : « tousse », « voisine », « argent », « facture », « papiers », « Abidjan », « David ». Je l'interrompis, curieuse.

— Mais qui est David ?

Son visage se métamorphosa soudain. Je ne pouvais dire si ma question la terrorisait ou la rendait furieuse, mais ses yeux semblèrent me mitrailler, avant d'être submergés par une vague de grande tristesse. C'était comme si toutes les émotions du monde l'avaient assaillie en même temps, et que son visage les exprimait tour à tour dans un enchaînement saccadé et mal maîtrisé.

— C'est mon autre fils ! Celui que j'ai laissé en Côte d'Ivoire !

Tous les matins j'avais droit aux moindres détails de sa vie, et pourtant elle ne m'avait jamais dit qu'elle avait un deuxième enfant. Je tombais des nues.

C'était la première fois que je l'entendais prononcer le mot « fils ». Elle me raconta alors avec tout le naturel du monde qu'elle avait en réalité deux enfants, dont un qu'elle avait dû ramener « au pays », faute d'argent pour subvenir aux besoins des deux. David était donc l'aîné, âgé de huit ans, qu'elle avait laissé à l'une de ses tantes en Afrique il y a cinq ans, à la naissance de Lionel. Je n'en revenais pas. Elle ne m'en avait jamais parlé, et pourtant nous étions proches, je connaissais bien le petit Lionel qui l'attendait devant la télé du salon pendant qu'elle s'occupait de moi les mercredis matin. Je me demandais comment on pouvait abandonner un de ses enfants, et surtout comment elle avait pu choisir lequel garder. Je me sentis soudain très triste pour elle. J'adorais Marie, mais elle me faisait souvent de la peine, tant elle semblait constamment connaître toutes les difficultés du monde. Je n'aurais pas pu, même avec beaucoup d'imagination, imaginer la moitié de toutes les mésaventures qu'elle rencontrait sans cesse. Zola ne lui arrivait pas à la cheville. Pourtant, c'était la première fois que je la voyais aussi affaiblie, elle qui d'habitude chantait à tue-tête et riait toute seule à gorge déployée.

Elle poursuivit en reniflant et en s'essuyant le nez du revers de sa main :

— Je ne peux plus rien payer. L'enfant est malade, et je vais le renvoyer à Abidjan avec son frère. Ça fait un mois que je lui donne à manger le pain trempé dans le lait, mais c'est pas bon il a faim, et moi, je peux plus payer.

Puis elle ajouta avec une assurance déconcertante :

— S'il te plaît, donne-moi de l'argent.

Je ne savais pas quoi faire. Je ne pouvais pas rester indifférente alors qu'elle était dans une telle détresse. Et puis quelle somme entendait-elle exactement par « de l'argent » ?

— Trois cents euros. Promis, je te rembourse un jour.

Mon salaire de stagiaire s'élevait très exactement à 436 euros et 5 centimes. Trois cents euros c'était donc beaucoup. En même temps, j'habitais toujours dans la maison de mes parents, alors ce n'était peut-être pas si grave, et elle en avait vraiment besoin. Je songeai à en parler avec eux, mais je savais qu'ils étaient extrêmement stricts concernant les histoires d'argent. Ils auraient clairement refusé, de peur que cela ne devienne une habitude. Je décidai alors que cela resterait entre elle et moi, et lui fis un chèque en fermant les yeux. Elle se remit à pleurer et manqua de m'étouffer en me serrant dans ses bras costauds.

— Merci ! Merci ! En plus ce mois-ci, je dois payer deux mille euros pour l'électricité !

— Quoi ? Mais non, c'est impossible !

— Si je t'assure ! Tiens, lis !

Elle fouilla alors dans son sac qu'elle portait toujours en bandoulière, et sortit un papier froissé qu'elle brandit fièrement.

— Là, ici, regarde !

Elle me montra un encart en haut à droite de la facture estampillée EDF dans lequel était écrit : Numéro de client 2055.

Je restai sans voix.

— Ce n'est pas le montant ça, Marie, c'est ton numéro de client.

— Ah bon ? Je dois combien alors ?

— 51 euros.

Je regrettai aussitôt d'avoir fait ce maudit chèque. En réalité, Marie ne savait pas lire, et passait son temps à se faire arnaquer dans tous les sens. Elle m'amenait régulièrement son courrier, et les mots en provenance de l'école de Lionel pour que je lui « raconte ». Je n'avais pas imaginé que le fait qu'elle ne sache pas lire l'empêchait même de comprendre ce qu'elle devait payer. Combien de fois avait-elle dû débourser la mauvaise somme, ou se retrouver en proie à toutes sortes de gens malhonnêtes et plus malins qu'elle qui profitaient de sa vulnérabilité ? Beaucoup. En y réfléchissant, je ne pouvais rien pour elle. C'était malheureux, mais c'était comme ça. Tant pis.

J'étais habillée et prête à partir travailler à 6 heures. Il faisait encore nuit et le chauffeur ne devait pas venir avant 9 heures. Ce qui me laissait trois heures d'inoccupation. Si j'avais pu, je serais allée directement au bureau, ou mieux, je me serais recouchée. L'absurde de ma situation me faisait sourire, tirée de force de mon lit trop tôt et habillée malgré moi, puis obligée d'attendre pour me déplacer, trop tard. Mon quotidien était un relais minutieux, et chacun devait respecter son temps. Parfois, ça ne fonctionnait pas.

Plus tard dans la journée, une fois au bureau, je reçus un message d'Antoine, au sujet de son fameux club clandestin.

« Chers collègues, Fred et moi vous proposons de nous réunir ce soir aux alentours de 21 h 30 pour une séance de dégustation improvisée. Au programme, un Lagavulin de 1981, bouteille rare en édition limitée. Une participation de 20 euros par personne serait appréciée. À ce soir ! »

J'eus soudain une terrible envie de me dégonfler et de ne pas y aller. Premièrement, je n'aimais pas le whisky, et je n'y connaissais rien. Débourser vingt euros pour une boisson que je n'apprécierais pas me semblait un peu superflu.

Deuxièmement, je me sentais rackettée pour la deuxième fois de la journée. Et troisièmement, Farid devait venir me chercher à 20 h 30. Je ne pouvais pas l'appeler et modifier mes horaires comme ça à la dernière minute, il n'était pas à ma disposition.

Mais en m'entendant penser, j'eus l'impression d'être une vieille dame pétrie d'habitudes et de manies rigides. Tant pis pour Farid. Et si pour une fois je sortais de mon cadre ?

Il fallait que je l'appelle pour lui demander de venir me chercher plus tard. Mais je n'avais pas la moindre idée de l'heure à laquelle se terminerait la réunion. Je ne voulais pas m'éclipser au beau milieu en devant arguer du fait que « mon chauffeur était là », et donner l'image d'une personne dépendante et contrainte, qui ne peut pas profiter des temps improvisés de convivialité nocturne. La seule pensée que mes collègues puissent se dire « elle doit partir, mais c'est peut-être normal, elle est en fauteuil… c'est déjà bien qu'elle ait pu rester un moment avec nous » me faisait froid dans le dos. Mais d'un autre côté, je ne voulais pas attendre seule sur le trottoir au milieu de la nuit pendant des heures si la réunion ne durait pas longtemps. C'était une prédiction péril-leuse et hasardeuse.

Je me résignai donc à appeler Farid, ne sachant pas trop quelle excuse justifierait le fait de ruiner sa soirée.

— Oui Farid, c'est Charlotte. Je suis déso-lée mais j'ai un changement d'emploi du temps pour ce soir. On m'a imposé une réunion jusqu'à 23 heures. Pardon, mais je ne peux pas faire autrement. Est-ce que ça t'embête de venir me chercher plus tard ?

Le silence au bout du fil commençait à me faire éprouver un léger malaise. Il n'avait pas l'air de bien réagir, et je m'en voulais de lui mentir pour une dégustation de whisky. Ça n'en valait peut-être pas la peine. Je m'apprê-tais à modérer, faute de réponse :

« Enfin, si tu ne peux pas, c'est pas grave, je vais m'… », mais il m'interrompit net.

— Non mais ils sont sérieux dans ta boîte ? C'est de l'esclavagisme ! Ils ont cru que les gens étaient à leur disposition ou quoi !

Je ne savais pas trop s'il parlait de lui ou de moi, mais il était assurément énervé, et je me sentais coupable. Il poursuivit :

— Non mais tu vois ça m'énerve ça ! Qu'on force les gens à bosser à n'importe quelle

heure ! C'est pas humain d'avoir des réunions
aussi tard !

Je le laissai achever son monologue, et comme
à son habitude, il redevint extrêmement calme
en un rien de temps, et conclut :

— Allez, pas de problème ma belle, à ce soir.

Je fermai les yeux sur le « ma belle » qui
m'exaspéra au plus haut point, et raccrochai.

★

Durant tout l'après-midi, j'appréhendai
la fameuse réunion du club de buveurs de
whisky. Non pas que je ne voulais pas y aller, au
contraire, j'étais bien trop curieuse et je trouvais que l'extravagance de ce projet le rendait
charmant. Mais je me demandais ce que j'allais faire là-bas. J'imaginais un salon tapissé
empli d'hommes en train d'évoquer les subti-
lités de chaque whisky, noyés dans des volutes
capiteuses de cigares. J'allais indéniablement
passer pour une abrutie. Je n'y connaissais
absolument rien, et j'avais menti au moment
d'être recrutée par Antoine.

Je décidai donc de passer la petite heure
qui me restait à lire des forums sur le whisky

149

pour essayer d'en saisir au moins les grandes lignes.

À la vue des différentes catégories, je compris que c'était peine perdue. Blend, Pure Malt, Single Malt, je n'y comprenais rien. J'essayai alors tant bien que mal de m'imprégner des nuances des différentes saveurs possibles ; fruité, tourbé, fumé, marin... Mais à vrai dire je n'avais pas la moindre idée de ce qu'un goût tourbé pouvait bien être. Alors je me résolus à lire directement les commentaires des internautes sur cette fameuse bouteille, les apprendre par cœur et les recracher mot pour mot. Au point où j'en étais, je n'étais plus à une imposture près. Ça s'appelait comment déjà ? Lagavuquelque chose. Lagavulin. Mais quand je lus « ravira les amateurs de tourbe fumée », je capitulai pour de bon.

Il était 21 h 40. Le rendez-vous était à 21 h 30 mais je ne voulais pas arriver parmi les premiers. J'espérais me fondre dans la masse et tenter de passer inaperçue. J'attendais sans trop savoir ce qui allait finalement me décider à y aller. Et puis je reçus un mail de Mathilde Gautier, me posant une foule de questions à propos d'un document que je lui avais envoyé auparavant dans la journée. Je détestais quand elle faisait ça. J'avais déjà passé des heures à prémâcher son travail, digérer une montagne d'informations pour finalement lui recracher le « résumé d'une synthèse récapitulative ». Et systématiquement, elle me posait des questions dont les réponses figuraient noir sur blanc, en gras et souligné dans le document que je lui avais envoyé. Cela me donnait l'impression d'avoir perdu mon temps, qu'elle ne lisait pas ce que je lui écrivais, et que j'allais devoir lui faire une deuxième synthèse sous forme de questions réponses.

Du coup, je décidai que c'était le signe que j'attendais pour me résigner à rejoindre les buveurs de whisky, et tant pis pour Mathilde.

Le bureau de Bill Thomson était vraiment le lieu idéal pour une telle réunion, et l'ambiance feutrée du salon typique des années 50, avec ses gros fauteuils club en cuir patiné et ses rideaux vert olive à carreaux, transformait l'ascenseur en machine à remonter le temps. Quand les portes s'ouvraient, on passait instantanément de la banalité des grands bureaux blancs immaculés éclairés au néon au charme du temps passé, et de son odeur poudrée qui chatouillait les narines.

151

Tout était exactement comme je l'avais imaginé. Un cliché animé. Des petits groupes d'hommes discutaient à voix basse, et une musique que je ne connaissais pas, mais qui ressemblait à du jazz de fin mélomane, les accompagnait en fond sonore. On se serait cru dans un film d'après-guerre au seul détail près que les protagonistes n'étaient pas vêtus de complets mais de tee-shirt bariolés, et que la musique ne provenait pas d'un poste de radio mais d'un iPhone relié à des enceintes sans fil en Bluetooth. Je mis quelque temps à m'apercevoir que j'étais la seule femme, ce qui m'interpella. Non pas que j'eusse aimé avoir une copine avec qui passer la soirée, mais si mon fantasme était réellement comme je l'avais rêvé, ce club aurait dû être strictement réservé aux hommes, à l'image des gentlemen's clubs anglais. Ma présence ici me laissa penser que je n'étais pas une fille. Du moins, pas une vraie fille. Cette idée me froissa quelques secondes, puis s'envola aussi vite qu'elle était apparue. Après tout, ce n'était peut-être que pure coïncidence. Peut-être même que les autres filles arriveraient plus tard.

Il n'en fut rien, je demeurai seul person-nage féminin pendant toute la soirée, ce qui finalement ne me déplut pas particulièrement. J'eus étonnamment très vite l'impression de faire partie du club.

Quelques minutes après mon arrivée, Antoine et son acolyte Fred arrivèrent avec des caisses contenant des verres. Je n'avais pas la moindre idée d'où ils pouvaient bien sortir une telle quantité de verrerie, et surtout où ils avaient pu la stocker avant la réunion ; difficile de se souvenir que l'on se trouvait sur un lieu de travail. Ils en disposèrent une vingtaine sur la table basse en acajou, puis sortirent deux belles carafes pleines de whisky des caisses d'où provenaient les verres. Ils avaient l'air d'avoir tout prévu dans les règles de l'art, et de s'y être pris longtemps à l'avance. J'imaginais la tête de leurs patrons et de la direction s'ils venaient à apprendre que les deux compères étaient grassement payés alors que sur leur temps de travail, ils préparaient une dégustation alcoolisée clandestine dans les locaux. Je me tournai alors vers mon voisin de gauche, un jeune commercial que j'avais croisé quelques fois dans les couloirs mais dont je ne connaissais pas le nom :

— On a le droit de faire ça ?

— Je ne suis pas sûr, non… mais il paraît qu'ils filent un verre à l'agent de sécurité

153

qui reste la nuit, et que du coup on est tranquilles. À cette heure-ci de toute façon, il y a peu de chance pour qu'une réunion clients démarre dans le bureau de Bill, donc avant que quelqu'un monte nous chercher…

À ce moment, j'aperçus Elliot à l'autre bout de la salle, qui venait d'arriver. C'était une bonne surprise ; j'étais contente qu'il soit là, car à part lui, je ne connaissais personne, et je ne me voyais pas vraiment passer la soirée à tenter désespérément de m'intégrer dans des groupes d'inconnus pour éviter de me retrouver à siroter mon verre telle une alcoolique esseulée.

Les deux hôtes commencèrent à disposer les verres un à un sur la table – dix-neuf au total. Ils avaient l'air affreusement lourds et peu ergonomiques, et je commençai à redouter le moment où je devrais le soulever. Et soudain, je me rendis compte que j'avais oublié de prendre une paille avant de monter. J'avais toujours une boîte sur mon bureau, que mes collègues remplissaient gentiment. Chaque fois qu'ils allaient déjeuner dans un fast-food, ils repartaient avec une grosse poignée de pailles qu'ils venaient me déposer en revenant. Mais cette fois-ci je n'y avais pas pensé, et j'étais gênée de m'absenter au moment où le « rituel », que je trouvais bien solennel et qui me mettait un peu mal à l'aise, commençait. Je m'imaginais difficilement m'éclipser discrètement, trahie par le bruit du moteur de mon fauteuil, puis accompagnée par le timbre de l'ascenseur arrivé à destination, pour revenir quelques minutes plus tard le sourire aux lèvres et un morceau de plastique rose fluo entre les doigts. Ce n'était pas le genre de la soirée. Mais d'un autre côté, je n'allais pas faire semblant de ne pas avoir besoin de paille, espérer que personne ne remarque mon abstinence. Non, c'était idiot, il fallait que je goûte ce fameux Lagavulin. Alors je décidai d'attendre que tout le monde soit servi et que l'atmosphère se détende pour descendre et passer plus inaperçue.

Antoine servait les verres, remplis de trois centimètres d'alcool pur, sans diluant, et surtout sans glaçons, ce qui me surprit un peu. J'avais toujours imaginé que le whisky seul se dégustait « on the rocks », mais je ne pouvais pas vraiment me fier à mon jugement, étant donné que d'ordinaire, je mélangeais le whisky avec du Coca, et qu'en plus, je n'appréciais pas du tout cela. Je me demandais vraiment ce que je faisais là, seule, sans paille, avec un verre impossible à soulever, contrainte d'ingurgiter un breuvage que j'avais en horreur. Il fallait absolument que j'apprenne à dire non.

De son côté, Fred s'assurait que chacun ait un verre. Il m'en tendit un, mais incapable de le saisir – et surtout de ne pas le laisser tomber – à une telle distance, je lui fis signe de me le déposer sur les genoux. Mes confrères commençaient à commenter la couleur, et à faire tourner leur verre pour observer quelque chose qui me paraissait, à moi, tout à fait invisible. À ce moment, je crus me souvenir que j'avais imaginé que cette petite réunion serait beaucoup plus festive, et qu'il y aurait de quoi grignoter, que les gens discuteraient et s'amuseraient sur fond musical enjoué. Mais la réalité s'empressa de chasser ces fantasmes naïfs de mon esprit, et de commencer à créer petit à petit, ce qui plus tard, serait mon souvenir. Avant d'aller quelque part, on imagine toujours les lieux, et l'ambiance. On joue d'avance les scènes dans sa tête. Et cet imaginaire a beau nous accompagner des jours, voire parfois des semaines, des mois entiers, une fois le moment venu, on a du mal à se souvenir de ce qu'on avait imaginé avant. Mais cette fois-ci, je pressentai soudain que j'allais m'ennuyer à un point tel que je ne pourrais pas oublier la soirée dont j'avais rêvé. Je regardai l'heure sur mon téléphone, il était à peine 22 heures, et Farid ne viendrait pas avant une longue heure. Prise de panique, et me sentant bien seule avec mon verre trop lourd, je décidai alors de lui envoyer un texto – ce qui en plus me donnait une bonne excuse pour ne pas boire et avoir l'air fort occupée – pour lui annoncer que finalement, je pouvais partir plus tôt.

Autour de moi, des groupes avaient commencé à se former et à discuter. Ils semblaient prendre l'exercice très au sérieux. Ils me rappelaient les cours de biologie que j'avais au collège où l'on devait commenter des réactions chimiques dans des tubes à essai.

Farid me répondit immédiatement : « Ok je peux être là dans 40 min ». Un peu déçue de ne pouvoir abréger mes souffrances que d'une vingtaine de minutes, je décidai alors d'aller retrouver Eliott, et de lui demander de m'accompagner chercher une paille. Il était assis sur le bureau de Bill, battait des jambes dans le vide en parlant à un homme que je n'avais jamais vu. Il avait vraiment l'air d'avoir douze ans, et de ne pas tenir en place.

— Alors, tu le trouves comment ? me demanda-t-il alors que j'arrivais en face de lui.

157

— J'en sais rien, j'ai oublié de prendre une paille.

— Tu bois ton whisky à la paille ? Mais c'est un sacrilège ! Tu veux pas du Coca tant qu'on y est ? ajouta l'inconnu en riant, fier de sa blague et en sondant la réaction d'Eliott.

Il devait espérer que son compère ricanerait à son humour railleur, mais il n'en fut rien. Eliott resta de marbre, les yeux rivés au sol et les jambes toujours ballantes, ce qui eut pour effet de faire taire l'homme moqueur et, je crois, de le vexer. Il eut soudain l'air très mal à l'aise, comme s'il avait dit une énorme bêtise, et je le voyais déjà se fondre en excuses et me prendre en pitié, ce que je voulais éviter par-dessus tout. Heureusement, Eliott se leva d'un bond, en s'exclamant : « Allez viens, on va chercher une paille. »

En allant jusqu'à l'ascenseur, je pris garde de ne pas renverser mon verre toujours plein, en équilibre instable sur mes genoux, ce qui me contraignait à rouler extrêmement doucement. Les portes s'ouvrirent, et Eliott appuya sur le bouton 5.

— T'aimes bien le whisky, toi ?

Décidément, personne ne me prenait au sérieux. Je devais cruellement manquer de crédibilité. Je pris alors un air pédant, et déclamai sur un ton moqueur et extrêmement snob : « Oui, j'aime surtout les notes de tourbe marine. » Il me fixa en plissant les yeux sans mot dire. Puis d'un coup il m'arracha mon verre des mains et l'engloutit cul sec, avant de me le reposer vide sur les genoux au moment où l'ascenseur s'ouvrit, et sortit nonchalamment, comme si de rien n'était.

— C'est un tourbé fumé.

Déconcertée, je faillis oublier de sortir de l'ascenseur, et accélérai au moment où les portes se refermaient pour le rattraper devant mon bureau. Arrivé devant le paquet de pailles, il se moqua avec une voix fluette : «Voyons, voyons, quelle couleur…? » Je me demandais s'il n'était pas un peu fou. Il semblait constamment agir comme s'il y avait plusieurs personnages dans sa tête, et personne autour de lui. Je ne savais jamais quoi dire quand j'étais à ses côtés, car j'avais l'impression qu'il se suffisait à lui-même, et que je n'avais qu'un rôle de figurante. Je crois qu'en fait, il me mettait un peu mal à l'aise, même si sa compagnie était plutôt agréable. Il agitait ses doigts au-dessus du paquet, et s'apprêtait à saisir une paille au moment où il fut interrompu par une voix familière qui approchait en sifflotant.

— Ah tiens, Eliott, ça tombe bien, j'avais quelque chose à te demander !

C'était Antoine. Je fus un peu surprise de tomber sur le maître de cérémonie que je croyais en haut. Cet homme était partout et toujours là où on ne l'attendait pas. Il semblait avoir totalement fait abstraction du whisky, et était sur le point de retourner à son bureau. À force de trouver tout le monde bizarre, je me demandai si ce n'était pas moi qui avais un problème.

— Apparemment Romain ne peut pas t'accompagner à Londres pour la prise de brief parce que Laura a besoin de lui pour un micro-trottoir. Faudrait que tu trouves quelqu'un de dispo pour venir avec toi, parce qu'un créa tout seul ça fait un peu léger. Vois avec Michael, je pense qu'il sera partant.

Eliott se décida enfin quant à la couleur de la paille qu'il ne m'avait toujours pas donnée. Jaune. De toute façon mon verre était vide, il fallait que je remonte. Antoine disparut aussi vite qu'il était apparu, et nous nous dirigeâmes à nouveau vers l'ascenseur. Les portes s'ouvrirent et se refermèrent pour la énième fois de la journée. Je me demandai combien de fois par jour. Et quelque part entre le troisième et le quatrième étage, Eliott interrompit mon savant calcul :

— Ça te dirait de venir à Londres ?

Je n'avais toujours rien bu.

13.

J'avais passé la moitié de la nuit à espérer que ce jour-là, Marie soit à l'heure, et la seconde à penser à la réunion qui nous attendait sur place. C'était la première fois depuis que je travaillais chez Carrousel que j'allais officiellement rencontrer un client et avoir un vrai rôle à jouer. Quelque part, j'en voulais un peu à Mathilde de ne pas m'avoir laissé cette chance plus tôt, alors qu'Antoine et Eliott pour qui je ne travaillais même pas m'avaient immédiatement fait confiance et invitée. La seule ombre était que je ne savais toujours pas qui on allait rencontrer et pourquoi exactement, mais Eliott m'avait promis qu'il aurait tout le temps de m'expliquer dans le train. Je savais seulement que le client était une marque de prêt-à-porter sur Internet.

Quand il m'avait proposé de l'accompagner, j'avais été prise de panique, ne sachant trop que répondre. Je crois que le principe de précaution aurait voulu que je décline, car je n'étais jamais allée à Londres, et je ne savais même pas si la ville était accessible pour mon fauteuil. J'avais déjà pas mal voyagé, et beaucoup de destinations s'étaient avérées compliquées une fois sur place. Mais d'un autre côté, je mourais d'envie d'y aller, et de m'échapper du bureau pour une journée au grand air et aux frais de l'agence. Après tout, tout le monde passait son temps à voyager dans cette entreprise, il était grand temps que j'en profite aussi. Et puis surtout, je ne me voyais pas dire non à Eliott, sous prétexte que c'était « compliqué » et que je ne l'avais jamais fait. Je serais passée pour une pauvre fille timorée. Alors j'avais décidé de prendre sur moi, et de ravaler toutes mes incertitudes.

Tout se passa comme prévu, Marie et Alain, le chauffeur, arrivèrent sans encombres. Une fois dans la voiture, il me demanda pourquoi je partais si tôt ce matin-là, et ce que j'allais faire gare du Nord. Quand je lui dis que je partais pour Londres, il manqua de piler net, et s'exclama : « Nooon! C'est mon rêve! Tu vas aller voir les corbeaux! » Je n'avais pas la moindre idée de ce dont il parlait, mais cela ne m'interpella pas davantage, car de toute façon, je ne comprenais jamais la moitié de ce qu'Alain me racontait. J'imaginais qu'il devait s'agir d'un surnom pour désigner les punks, ou quelque chose comme ça. Je regardais par la fenêtre, sans vraiment prêter attention à ce qu'il racontait. Mais il insista.

— Hein, tu vas aller les voir ?

— De quoi ?

— Bah les corbeaux.

— Quels corbeaux ?

— Bah les corbeaux de la tour de Londres !

— Euh… je ne crois pas, c'est quoi ?

— Attends mais tu rigoles ? Tu connais pas ? Mais c'est le truc le plus cool de Londres ! C'est mon rêve ! C'est grâce à eux que l'Angleterre n'est pas envahie il paraît.

Il allait délirer à nouveau, je le sentais. J'avais envie de lui dire que de toute façon personne n'aurait l'idée d'aller envahir l'Angleterre en 2014, mais il poursuivit, comme s'il était en train de faire un exposé à l'école.

— Les corbeaux de la tour de Londres datent de l'époque de Charles II. Ils ont toujours été sept, et la légende veut que tant qu'ils seront là, l'Angleterre sera sauve. Ils ont même des prénoms ! Je crois qu'il y en a un qui s'appelle Cedric, comme mon cousin. Tout le monde connaît les corbeaux de la tour de Londres, enfin ! Ce sont des animaux magnifiques et respectés !

— Ah… bon…

Je ne savais jamais quoi répondre quand Alain me faisait de grands discours comme celui-ci. Mais j'étais toujours étonnée qu'il soit si érudit. Il connaissait un nombre de légendes impressionnant. Ceci dit, il devait être le seul individu au monde à rêver d'aller à Londres pour cette attraction qui me semblait totalement anecdotique et secondaire, un peu comme si quelqu'un rêvait de Paris pour le Zouave du pont de l'Alma.

Il me déposa devant la gare une demi-heure avant le départ du train. Je n'avais pas la moindre idée d'où il fallait aller. Je n'aimais pas les gares. Je trouvais qu'il y avait toujours un tas d'individus inquiétants, qui ne manquaient jamais de se retourner sur mon passage. Une fois, un type super louche m'avait même demandé s'il pouvait me caresser des cheveux. Il faut dire que je passais difficilement inaperçue. Et les gares avaient la fâcheuse tendance d'accentuer ce phénomène.

Les départs pour l'Angleterre étaient à l'étage. Je rejoindrais sûrement Eliott quelque part avant les douanes. Arrivée en haut, il n'y avait pas grand monde. Il était tôt, et seules les personnes en déplacement professionnel devaient prendre le train de si bonne heure.

J'attendis quelques minutes, et toujours aucun signe d'Eliott. Je l'appelai alors pour savoir où était le point de rendez-vous, car peut-être n'étais-je pas au bon endroit. Répondeur. Je rappelai immédiatement dans la foulée, en vain. Le train partait dans quinze minutes, et j'étais toujours seule, avec mon billet. Le petit attroupement de gens qui faisaient la queue pour montrer leur pièce d'identité avait déjà disparu dans le couloir de boutiques qui menait au quai, et les voyageurs du train d'après commençaient à arriver sans se presser.

Tant pis. Au cas où il m'attendait dans le train, il fallait que j'y aille directement, je ne pouvais pas prendre le risque qu'il parte sans moi. Je me présentai alors, un peu à contre-cœur, au poste de contrôle, et une hôtesse avec un accent très charmant m'escorta jusqu'au train. L'espace dédié aux personnes en fauteuil roulant se situait en première classe, tout au bout du quai. Le temps que j'arrive jusqu'à la bonne voiture, il ne restait plus que six minutes avant le départ. Un agent prit le relais de l'hôtesse, et installa une rampe pour que je monte à bord. Il n'y avait personne dans tout le wagon, alors je commençai à paniquer à l'idée de partir seule, dans une ville inconnue, sans savoir où je devais aller, et sans avoir pu joindre Eliott. Trois minutes avant le départ, je décidai alors de redescendre du train, et entrepris de trouver une hôtesse pour lui expliquer la situation, seule dans mon compartiment désert. L'embarquement étant fini et le train prêt à partir, je trouvai enfin une jeune femme en uniforme qui venait de réapparaître.

— Excusez-moi, je crois que je vais devoir redescendre, car je devais voyager avec un ami mais il n'est pas arrivé.

Elle eut l'air bien embêtée pour moi, et se contenta d'un « Oh… » compatissant. Au moment où elle s'apprêtait à partir à la recherche de quelqu'un pour installer la rampe à nouveau, une personne fort peu pressée monta à bord et s'affala sur le premier fauteuil en laissant échapper un « Désolé » nonchalant et peu convaincant. C'était Eliott, qui tenait dans ses deux mains deux grandes tasses de café à emporter. Sans mot dire, et sans me regarder, il déplia les tablettes des sièges de devant et posa les verres d'un geste brusque. Puis il se releva, passa devant l'hôtesse interloquée, et revint quelques secondes plus tard avec des magazines qu'il était allé chercher quelques sièges plus loin.

La jeune femme s'inquiéta alors : « Ça va aller, mademoiselle ? », et je n'eus pas le temps d'ouvrir la bouche qu'Eliott répondit ma place : « Oui, oui c'est bon » et il s'écria « On peut y aller ! », comme si le conducteur pouvait l'entendre et avait attendu son signal. Il dégaina alors une paille et la planta dans le couvercle du verre en carton.

— Je t'ai pris un café, parce que les petits déjeuners sont pas mal ici, mais le café est vraiment infect.

Il n'avait pas du tout l'air de se soucier d'avoir failli rater le train, ni que je me retrouve seule, mais je commençais à être habituée à son drôle de comportement. Et puis je me voyais mal le sermonner alors que sans lui, je ne serais jamais partie à Londres tout court.

Ce voyage en train fut, contre toute attente, extrêmement reposant. Désert, le wagon était plongé dans le calme absolu, et les hôtesses nous servirent un petit déjeuner royal au bout de quelques minutes, avec des montagnes de croissants frais et toutes sortes de confitures. Le mouvement du train et le silence ambiant me donnaient terriblement envie de dormir, car ma nuit avait été courte, et il était encore tôt. J'aurais bien profité des deux heures devant moi pour rattraper un peu de sommeil, mais je savais que j'étais trop excitée pour dormir. J'avais l'impression de partir pour une grande excursion, et j'avais hâte d'arriver. J'ai toujours adoré les arrivées, et surtout les premières secondes dans un nouveau pays, à la sortie du train ou de l'avion. Je trouve que c'est à ce moment-là que les sens sont le plus en éveil, occupés à capter le dépaysement radical et immédiat sous toutes ses formes. Après, une fois sortis, on s'habitue et on s'approprie les lieux, avant de se mêler aux locaux. Tandis que l'on ne peut jamais vraiment s'approprier un nouveau quai de gare ou une nouvelle passerelle de débarquement, sur lesquels on n'aura fait que passer, fébriles, vierges et impatients.

Nous passâmes un long moment à parler, de voyages surtout, et je commençais à m'inquiéter de ne toujours pas en savoir davantage

169

sur la réunion à venir, mais plus le temps passait plus j'avais envie que le trajet dure. En réalité, je n'avais pas envie d'aller à Londres pour travailler, mais pour profiter de chaque instant passé en compagnie d'Eliott. Malgré son comportement que je ne parvenais pas à saisir, incapable de savoir s'il était attentionné ou désorienté, c'était une présence extrêmement plaisante et agréable, car il savait immédiatement créer une relation intime et exclusive, comme si j'étais au cœur de toutes ses interrogations. Il passait son temps à me poser des questions étonnamment person-nelles pour une personne avec qui, finalement, j'avais passé peu de temps. Des questions sur ma famille, mon passé, mes rêves, et mes réponses avaient l'air de sincèrement lui tenir à cœur, ce qui me rassurait mais me mettait aussi très mal à l'aise.

Lorsque le train fut englouti par le tunnel sous la Manche, il sortit son ordinateur portable et devint d'un coup extrêmement sérieux et professionnel. Il faut dire qu'il nous restait seulement un peu plus d'une heure, et je ne maîtrisais absolument pas la raison de notre déplacement. Il m'expliqua qu'on allait rencontrer le directeur de Shop&Me, un

Américain fraîchement débarqué de la Silicon Valley qui était en train de lancer un nouveau site de vide-dressing de luxe sur Internet. Il s'appelait Boris Miles, et d'après Eliott il était un peu paranoïaque et ne supportait pas d'être dans une pièce avec plus de cinq personnes autour de lui. Ses interlocuteurs étaient donc triés sur le volet, et il ne fallait surtout pas le contrarier, car Carrousel était une des agences qui risquait de décrocher un contrat colossal de plusieurs centaines de millions d'euros pour accompagner le lancement de Shop&Me à l'international. Notre rôle était donc de le rencontrer pour lui présenter l'agence, et lui prouver que nous étions dynamiques et modernes.

— Tu vois : rien de très compliqué.

— Donc toi tu présentes, et moi je fais quoi ? m'inquiétai-je, car je ne comprenais toujours pas très bien la raison de ma présence

— Ah non, moi je ne présente rien du tout ! Moi je suis là au cas où tu te trouves en difficulté.

En m'annonçant cela, il installa son ordinateur sur la tablette devant moi, et rajouta :

— Tiens, il reste une heure et quart avant qu'on arrive à Saint-Pancras, lis la présentation, moi je termine ma nuit.

171

Je ne m'attendais pas du tout à ça. Mais alors pas du tout. Je n'avais jamais assisté à une présentation chez le client, et encore moins eu la responsabilité de prendre la parole, seule. Surtout avec un tel enjeu à la clé. Le comportement d'Eliott aurait pu paraître odieux, mais c'était sa façon de me dire qu'il me faisait confiance, et de me tester. Cela l'amusait, et je savais qu'il serait fier si je m'en sortais.

Absorbée par la présentation que je devais assimiler et parfaitement maîtriser dans un temps aussi court, je ne vis rien du reste du voyage, pas même la sortie du tunnel. Nous arrivâmes à la gare vers 9 heures heure locale, et nous avions rendez-vous à 10 h 30 dans la Tech City, le quartier des start-up situé à Shoreditch à l'est de Londres. Mais une fois sur le quai, je m'aperçus que je n'avais pas du tout anticipé mes déplacements au sein de la ville, et je n'avais pas la moindre idée de l'accessibilité des transports londoniens, qu'il s'agisse du métro, du bus ou des taxis, et je n'avais même pas abordé la question avec Eliott. Et si nous n'arrivions pas à nous rendre au point de rendez-vous ? C'était totalement irresponsable de ma part, je risquais de tout faire échouer ! J'avais tellement rêvé de cette journée que j'avais oublié mes contraintes physiques et matérielles pourtant d'habitude si centrales.

Je partageai alors mes inquiétudes avec Eliott qui, à son habitude, flegmatique, me répondit :

— Oh mais t'inquiète, je suis sûr qu'on va trouver, c'est forcément accessible.

J'avais envie de lui répondre que *non*, ce n'était pas *forcément* accessible. Les gens ne se rendent jamais compte que les transports et les bâtiments ne sont pas accessibles, ils montent les marches comme ils respirent. Pour la grande majorité, une marche n'éveille aucune conscience. Une marche ne représente même pas l'ombre d'une difficulté. Mais je n'ai pas osé, j'aurais dû m'en préoccuper avant, alors il ne me restait plus qu'à espérer qu'il ait raison.

Toutes mes appréhensions prirent malheureusement le dessus sur le sentiment d'excitation que j'avais espéré en sortant du train. J'étais davantage préoccupée par ce qui m'attendait, que par les premières secondes de dépaysement, pourtant la gare était très belle, vaste et lumineuse. Nous nous perdîmes un peu dans des dédales sans fin de couloirs, à la recherche des bons ascenseurs, et du guichet

173

d'information le plus proche, qui répondrait sûrement à nos interrogations concernant ladite accessibilité. Les ascenseurs, destinés aussi aux personnes malvoyantes, parlaient, pour indiquer l'étage et l'ouverture des portes. Ils avaient un accent anglais.

Contrairement à la quasi-totalité des personnes de mon entourage, Eliott ne prenait pas souvent les devants pour faire avancer les choses à ma place. Je dois dire que je n'y étais pas habituée, et que cela me dérangeait un peu de devoir moi-même faire la queue pour m'adresser à un agent du guichet information, car je me sentais petite, et oppressée par toutes les personnes qui s'amassaient autour de moi. Il ne me protégeait pas, alors que j'avais l'habitude d'être toujours couvée, dans ma zone de confort. Je ne parvenais pas à savoir s'il le faisait sciemment, ou s'il ne s'en rendait pas compte.

L'homme du point information mit fin à mes doutes. Le métro n'était pas accessible, il fallait que nous nous débrouillions avec les bus. Quand j'expliquai cela à Eliott, il haussa le ton pour la première fois :

— Non mais on ne va pas aller chez le client en bus ! On va prendre un taxi.

C'était la première fois que je le voyais contrarié. Il partit bille en tête, sans que je puisse lui dire que jamais les taxis ne seraient accessibles, et qu'il fallait qu'on prenne le bus. Nous sortîmes donc de la gare et de ses couloirs, pour arriver sur une esplanade qui grouillait de monde, en plein cœur de Londres. À ce moment-là, je compris à la vue des autobus rouges et des taxis noirs que nous étions vraiment en Angleterre. Il faisait frais, mais grand beau.

J'avais décidé de laisser partir Eliott, pour qu'il se rende compte par lui-même que les taxis n'étaient pas une option envisageable. Distante d'une trentaine de mètres, j'observai le nouveau décor qui s'offrait à moi en essayant de m'habituer à la circulation en sens inverse, quand soudain je le vis me faire de grands gestes depuis la porte de la petite voiture noire.

— Allez, viens !

À ce moment-là, je me demandai s'il faisait exprès, ou s'il était complètement abruti. Comment voulait-il que je monte dans un taxi aussi petit, alors que les seules voitures dans lesquelles j'avais pu monter jusque-là étaient

175

de gros véhicules aménagés avec une rampe dans le coffre, qui ressemblaient à des camionnettes de livreurs ? S'il tenait absolument à ce que l'on se rende chez Shop&Me en voiture, il fallait de toute urgence trouver les coordonnées d'une société spécialisée.

Mais non. Il avait raison.

Je tombai des nues.

Le petit taxi noir était parfaitement accessible pour un fauteuil. Tous les black cabs étaient aménagés, je n'en revenais pas.

Le chauffeur quitta naturellement son volant quelques secondes, et déplia une rampe au flanc du véhicule. À l'intérieur, il y avait la place de loger un fauteuil accompagné d'un autre passager, et pourtant de l'extérieur le taxi paraissait si petit. Je n'en revenais pas. J'avais toujours entendu parler de villes modèles qui avaient déployé des trésors d'ingéniosité pour faciliter l'intégration des personnes en fauteuil. Des métros futuristes, des bâtiments publics aux normes, mais jamais de voitures universelles en si grand nombre.

Cette découverte fut vraiment un choc pour moi. C'était la fin du cloisonnement. L'accessibilité n'était plus un monde à part, et dédié, mais s'inscrivait dans la normalité. Dans la vraie vie. Et c'était tellement plus simple et économique que de créer des entreprises spécialisées.

Je partageai mon émerveillement avec Eliott, mais je vis bien vite que pour lui, cela ne correspondait pas vraiment à une réalité concrète. C'était un simple taxi, comme il en avait déjà pris des centaines, et je ne suis pas sûre qu'il mesura toutes les conséquences que cela induisait pour moi.

Dans la voiture, je voyais les rues défiler, sans avoir la moindre idée d'où nous nous situions. Je n'avais aucun sens de l'orientation, démunie de tout repère dans cette ville totalement nouvelle pour moi, et j'eus l'impression que le trajet dura une éternité. Je trouvai que Londres était une ville orange, contrairement à ce que j'avais imaginé, peuplée de constructions en brique qui lui donnaient une allure un peu négligée, et pourtant très paisible et accueillante. Je n'avais aucun indice géographique, je savais seulement que Shoreditch était le quartier à la mode prisé par les jeunes.

À un moment, nous traversâmes des rues pavées très animées, bordées de petites boutiques pittoresques et de grands graffitis colorés sur les murs. J'en déduisis que nous ne devions plus être très loin. Puis soudain, le paysage changea à nouveau, et les bâtiments en brique orange se mirent à côtoyer les buildings en verre. Le taxi s'arrêta devant un bâtiment de taille moyenne, ni beau ni laid, ni moderne ni ancien. Un lieu d'une extravagante banalité au milieu de ce décor rythmé par les contrastes forts et le manque total d'harmonie.

Quel étrange sentiment que de sortir d'un taxi le plus normalement du monde !

Je commençais à appréhender un peu notre entrevue, et je n'étais pas sûre d'être tout à fait prête. J'aurais préféré qu'Eliott ne me dise pas que Boris Miles était instable, car je ne me sentais pas du tout en mesure de faire face à un comportement anormal de la part du premier client que je m'apprêtais à rencontrer.

L'extérieur du lieu ne laissait en rien en imaginer l'intérieur. D'une façade terne et sans couleur, on pénétrait dans un hall étonnamment moderne et lumineux, habité par de vastes canapés et des compositions végétales gigantesques. Un étage en mezzanine laissait entrevoir d'immenses tables en longueur. On aurait dit une grande bibliothèque où les gens se seraient disposés comme bon leur semblait, sans place attribuée. Certains travaillaient sur leur ordinateur portable debout, d'autres, assis dans des canapés.

Une jeune femme vint nous escorter jusqu'à une salle entièrement vitrée sur trois côtés, le quatrième étant recouvert par une télévision surdimensionnée. Eliott commença à s'installer et à brancher son ordinateur avec l'aide de la jeune femme, quand un homme tout rond, en tee-shirt, vint nous saluer. C'était Boris, mais il aurait pu passer pour un type du service informatique. Sa bonhomie lui donnait un air fort sympathique et très avenant. Il nous salua chaleureusement individuellement, et je fus étonnée de voir qu'il connaissait déjà nos prénoms.

Il nous demanda si nous avions fait bon voyage, et si nous venions souvent à Londres, mais je n'eus pas le temps d'ouvrir la bouche qu'Eliott avait déjà pris les devants et nous faisait presque passer pour des Anglais natifs.

— *Wonderful, wonderful!* s'enthousiasma Boris avec un grand sourire et des petits yeux rieurs, puis d'un coup il tapa des mains, et poussa un *let's go*, sec et grave, qui mit fin à tout échange de courtoisie pour annoncer une discussion très officielle.

Mon cœur se mit à battre fort, le moment tant redouté était enfin venu. J'étais prête à attaquer, ma télécommande PowerPoint à la main, supervisée par les yeux persans de mon collègue, mais Boris me coupa dans mon élan pour donner le ton, tapant des mains à nouveau :

— Je n'aime pas quand ça dure trop longtemps, alors on va tous rester debout pour que ça ne traîne pas !

Je fus surprise, et un peu décontenancée, car évidemment, je n'allais pas me lever, et c'était à moi qu'incombait la tâche de parler pendant toute la présentation. Il faudrait donc que j'accélère le rythme, incapable de ressentir le moindre inconfort ou trépignement, contrairement à Boris qui en aurait vite assez de rester debout. Je ne savais même pas combien de temps on pouvait rester immobile sans s'impatienter. Je jetai donc un regard inquiet à Eliott, mais il me fit un petit signe pour me rassurer. Je n'aurais qu'à guetter son signal pour accélérer et prendre des raccourcis dans notre exposé qui avait été conçu pour durer une bonne heure.

Je me sentais minuscule entourée de ces géants debout qui me fixaient. Je crois que cela aurait tout à fait pu être une scène de cauchemar. Je sentais que ma voix tremblait un peu, mais je me concentrai en me disant que ne serait bientôt qu'un souvenir.

Je réussis l'exploit de faire tout tenir en vingt minutes, taillant allègrement dans la présentation d'Eliott tel un élagueur fou, démontrant par A plus B à mon interlocuteur combien nous étions une agence dynamique et créative. Au bout de quelques minutes, ma voix était posée, et je me sentais beaucoup plus à l'aise. J'étais contente de ne pas être au bureau, et je pensais à Mathilde qui ne m'aurait jamais laissé une telle opportunité. Aujourd'hui je n'étais plus stagiaire, et c'était une sensation volée certes, mais ô combien exaltante.

Boris avait l'air calme et attentif. À la fin de la présentation, j'avais envie de poursuivre pendant encore des heures, et de lui dire combien j'étais contente d'être là, mais je pris sur moi pour tempérer mon enthousiasme et éviter de passer pour une hystérique. Il applaudit, et nous remercia chaleureusement. Il était à nouveau sympathique, comme au début. Il avait vraiment l'air satisfait. Avec Eliott, ils discutèrent un long moment des détails concrets s'ils étaient amenés à travailler ensemble. J'avais l'impression que Boris envisageait sérieusement une collaboration avec Carrousel.

Il nous remercia à nouveau et nous raccompagna jusqu'à la sortie, attendant avec nous notre taxi. Il claqua la portière en nous souhaitant bon retour et disparut. Il était à peine midi, la réunion avait duré beaucoup moins longtemps que prévu et notre train n'était qu'à 18 heures. Il nous restait donc tout l'après-midi à tuer. Le taxi n'avait toujours pas démarré, et le compteur tournait.

— On va où maintenant ?

— Cabot Place, indiqua-t-il au chauffeur en me laissant en suspens.

— C'est où ?

Je n'avais pas la moindre idée d'où on allait.

— On va fêter ça.

Il ne répondait jamais à mes questions. J'avais l'impression d'être une petite fille promenée par un homme d'affaires puissant et mystérieux. Pourtant son physique était tout sauf viril : frêle, avec des cheveux un peu longs qui le faisaient ressembler à une fille, et ses grandes lunettes qui le cachaient presque totalement. Et pourtant, il réussissait malgré tout à dégager une certaine force, impertinente.

Pendant une vingtaine de minutes, le taxi nous promena sur des voies rapides à n'en plus finir, bordées de tours gigantesques. Le quartier semblait débordé, et pourtant inhabité, comme s'il était peuplé de grandes coquilles vides. Le chauffeur s'arrêta sur une sorte de terrain vague en travaux, coincé entre deux cubes de verre. Eliott avait l'air de parfaitement savoir où on était. Pas moi.

Il déplaça une barrière de chantier verte pour me laisser passer, et m'emmena faire le tour d'un gros bâtiment gris. Vu de face, le paysage n'avait plus rien à voir. Nous nous tenions devant l'entrée de ce qui ressemblait à un casino, ou un music-hall géant, surmonté d'une coupole et d'une gigantesque enseigne Boisdale. À première vue, on imaginait que ce lieu ne vivait que la nuit, et pourtant la réception était comble. L'endroit était désuet, et semblait habité uniquement par des habitués d'il y a trente ou quarante ans. Et pour cause, il n'y avait quasiment que des hommes d'une cinquantaine d'années. Je me demandai ce qu'Eliott faisait là, et je me sentis soudain très loin de l'herbe synthétique et des néons blancs de mon bureau quand nous pénétrâmes dans une salle totalement aveugle, sombre, avec un plafond noir perlé de spots encastrés et encadré de murs rouge sang. Au fond de la salle, il y avait un grand bar illuminé par des chandeliers, et une armoire remplie uniquement de bouteilles de whisky.

183

Je comprenais enfin. C'était exactement le club anglais que j'avais imaginé, et cette fois-ci, la clientèle n'était pas en tee-shirt.

— Aujourd'hui, je vais te laisser boire ton verre.

Nous étions assis à une table dans une sorte d'antichambre qui communiquait avec la salle principale. Je remarquai que finalement, il y avait une grande fenêtre avec une vue sur une place dans la pièce d'à côté, mais le lieu donnait une telle impression de confinement qu'on se serait cru attablés pour dîner.

Eliott commanda deux verres d'un whisky dont, toujours novice, je compris à peine le nom. Un Glenrothes de 1980 ou 1985. J'étais un peu inquiète à l'idée de boire à midi, avec seulement les croissants du train dans le ventre, et encore six heures de vagabondage devant moi. Mais je n'avais pas vraiment le choix vu l'endroit. Le serveur apporta une bouteille assez étonnante, toute ronde et trapue comme un ballon en cuir, avec une étiquette écrite à la main.

Cette fois-ci, pas de mise en scène, ni de dégustation olfactive pseudo-scientifique ou d'adjectifs ridicules, nous nous contentâmes de boire notre verre en revenant brièvement sur la réunion avec Boris, qui me paraissait déjà très loin. C'était bon, d'une chaleur enveloppante. Quand j'y repensais, cela me semblait totalement surréaliste qu'il m'ait confié la responsabilité de la présentation alors que j'avais découvert le sujet quelques heures avant et que l'enjeu était si important. J'avais toujours du mal à y croire, et à comprendre ce que je faisais là, à boire du scotch au cœur de la nuit en plein jour.

Le temps passa, ni trop vite, ni trop lentement. Ma tête tournait. Lorsque nous nous retrouvâmes à nouveau à l'extérieur, aveuglés par le soleil qui se reflétait dans toutes les tours alentour, j'eus l'impression cotonneuse qu'on m'arrachait à mon sommeil en ouvrant grand les volets. J'avais envie de savourer chaque minute de cette étrange journée, le cœur barbouillé mais léger.

Nous décidâmes de profiter des derniers instants qui restaient pour nous rendre à la Tate Modern.

— Tu verras, c'est bizarre, on se sent tout petit.

En effet, c'était immense. Je n'avais jamais vu de cheminée aussi grande. À vrai dire, je crois que je n'avais jamais vu de cheminée tout court. En entrant dans le hall aux proportions surhumaines, les vers d'un poème que j'avais appris à l'école me revinrent à l'esprit aussi clairement que si c'était hier, alors que je les pensais oubliés pour toujours.

> *Les deux mains au menton, du haut de ma*
> *mansarde,*
> *Je verrai l'atelier qui chante et qui bavarde ;*
> *Les tuyaux, les clochers, ces mâts de la cité,*
> *Et les grands ciels qui font rêver d'éternité.*

Impossible de me rappeler si c'était de Baudelaire ou d'Apollinaire.

C'était peut-être l'alcool, mais c'était bien.

Il y avait une exposition sur les collages de Matisse. J'avais peur de revenir à la réalité en achetant des billets et en entrant dans une salle aux murs carrés, mais ce ne fut pas le cas. Les tableaux sur le mur étaient tellement vifs et colorés que, dans ma mémoire, ils restent aujourd'hui comme des flashes joyeux et psychédéliques qu'on aurait rêvés en pleine hallucination.

Je ne crois pas que nous ayons beaucoup parlé pendant cet après-midi, mais j'ai pourtant l'impression d'avoir partagé énormément avec Eliott, que cela nous avait rapprochés.

En sortant du musée, on se retrouvait sur les quais, au bord de l'eau. J'étais fatiguée, je commençais à avoir très faim. Je regardai l'heure sur mon téléphone, Eliott s'approcha et m'embrassa sur le front.

— On va rentrer.

J'eus un petit pincement au cœur. Je crois que j'étais triste de partir maintenant, et un peu émue à la fois. Tout cela n'existerait plus ailleurs qu'ici.

14.

J'aurais aimé que cette virée inattendue à Londres bouleverse le reste de ma trajectoire et mes derniers jours chez Carrousel. Mais non. La vie a continué comme si de rien n'était. C'est d'ailleurs étonnamment souvent comme ça que les choses se passent. J'aurais pu espérer un quelconque exploit professionnel ou amoureux, mais les PowerPoint en anglais et l'odeur du café instantané m'ont vite rappelée à la réalité.

Il ne restait que deux semaines avant la fin de mon stage, et je n'avais pas d'autres projets pour la suite, faute de temps et d'énergie pour me projeter dans l'avenir. Je crois que j'attendais jusqu'à la dernière minute qu'il se passe quelque chose, car j'avais envie d'une vraie fin.

Et finalement, en cinq jours, tout a basculé.

Mathilde Gautier arriva un beau matin au bureau, les bras chargés de dossiers qui manquaient de se répandre sur le sol au moindre faux mouvement, comme toutes les fois où elle était de passage à l'agence entre deux déplacements à l'étranger. Je ne l'avais pas vue depuis des semaines, et je ne savais même pas si elle était au courant de mon escapade londonienne. Théoriquement, je travaillais pour elle, et je n'étais pas vraiment supposée partir en goguette aux frais d'autres équipes sur un temps qui lui était alloué. Je n'étais pas très sûre de la stratégie à adopter, le lui cacher et faire comme si de rien n'était, ou le lui raconter au fil de la conversation.

Lorsqu'elle eut déposé tous ses dossiers sur son bureau dans un soupir sonore, elle s'exclama « Ah ! Charlotte ! » comme si elle était surprise de me voir, et qu'elle m'avait complètement oubliée depuis des années.

— Quoi de neuf ? ajouta-t-elle

Si je décidais de lui parler de Londres, c'était le moment ou jamais. Mais elle avait l'air encore plus surmenée que d'habitude, alors je pris la décision de ne rien lui dire.

— Mmmh… pas grand-chose… tout va bien. J'ai fini toute la competitive review du haircare en SEA, et là j'attends un retour de la doc pour le plansboard.

(Ne me demandez pas comme j'ai pu arriver à un tel niveau de novlangue, je me pose encore la question, mais chacune de ces expressions alambiquées avait une signification extrêmement précise.)

— Et sinon je ne sais pas si tu sais, mais je pars bientôt… ajoutai-je, car j'étais sûre et certaine, au vu de sa réaction en découvrant ma présence dans son bureau quelques minutes plus tôt, qu'elle n'en avait pas la moindre idée.

— C'est bien, répondit-elle en pianotant frénétiquement sur son BlackBerry.

Totalement absorbée, elle me laissa dans un silence un peu déconcertant. Impossible de savoir si elle avait entendu et compris ce que je venais de lui dire. Puis dans un claquement de langue qui semblait manifester un agacement certain contre son pauvre téléphone, ou plus probablement, l'interlocuteur qui se cachait derrière, elle s'anima d'un mouvement de décollage immédiat, et se dirigea à toute vitesse vers l'ascenseur.

— Ah au fait! J'ai oublié de t'envoyer le contrat par mail, je te le transfère.

Puis elle se remit en marche, avant de s'interrompre à nouveau :

— Tiens, et ça me fait penser qu'il faudra que tu me racontes Londres.

Puis elle disparut.

Mince, elle était au courant. Mais de quel contrat parlait-elle ? Avait-on gagné un nouveau client ? S'agissait-il de Shop&Me ? Une fois de plus, je ne savais pas du tout de quoi elle parlait, et je n'étais même pas sûre de la revoir avant mon départ, auquel elle n'avait absolument pas réagi. Un peu désemparée, j'optai pour une nouvelle tasse de café, et une petite chouquette, avant de me remettre au travail.

Au bout de quelques minutes je reçus un mail de sa part, sans objet.

« J'ai un pb avec mon tél, peux-tu aller voir les RH ? Merci »

Je ne détestais rien de plus que régler ce genre de problèmes. Même si j'étais stagiaire, je me sentais toujours rabaissée quand on m'envoyait me promener dans toute l'agence pour régler les histoires matérielles des autres.

Résignée, je me dirigeai donc vers l'ascenseur pour me rendre au premier étage trouver les ressources humaines et régler le problème de téléphone de Mathilde qui, si je ne le faisais pas, allait probablement finir par imploser.

Je longeai un immense couloir blanc, qui ressemblait à l'intérieur d'un hôpital, sans fenêtre, avec des néons blanchâtres. Je n'étais pas allée dans ce bureau depuis mon arrivée lorsque j'avais dû signer ma convention de stage et récupérer mon badge (dont je ne me suis jamais servi, faute de pouvoir atteindre les lecteurs magnétiques fixés au mur à l'entrée du bâtiment).

— Bonjour, je viens vous voir de la part de Mathilde Gautier au planning stratégique, qui a un problème avec son téléphone.

Je n'étais pas très sûre de m'être adressée à la bonne personne, mais dans le doute, j'essayai quand même.

— Ah! très bien, assieds-toi!, puis elle se ravisa aussitôt en voyant que j'étais déjà assise, et se confondit en excuses en se précipitant pour pousser la chaise qui trônait en face d'elle, et qui m'était réservée.

Je commençais à penser que tout le monde ici avait sérieusement besoin de vacances.

— Mathilde m'a prévenue, j'ai quelques papiers à te remettre, et puis tu me feras quelques petits autographes.

Elle recherchait des papiers enfouis parmi des centaines d'autres, et brandit finalement l'objet de sa quête, avant de le relire à toute vitesse et à mi-voix.

— Le présent contrat… établi… entre les signataires… nanana… planning stratégique… à compter du 1er juillet… signé en deux exemplaires… OK ! Alors, voici ton contrat, il me faut une signature ici, et une autre… ici.

Elle me présenta le verso d'un papier au grammage très épais. J'étais de moins en moins sûre qu'elle ait compris la raison de ma venue, et me demandais pourquoi tout était établi à mon nom, alors que je venais au sujet du téléphone de Mathilde. Je retournai alors la feuille pour lire l'intitulé au recto, et lus en lettre capital : « Carrousel, Contrat de Travail ». Je pensai qu'il s'agissait d'une erreur.

— Euh… en fait je viens parce que le téléphone de Mathilde Gautier, ma supérieure, ne fonctionne plus, et elle m'envoie en chercher un nouveau…

— Ah ! Mais ça il faut voir avec les services généraux ! Ici tu es aux ressources humaines !

— Bah oui, mais c'est quoi ce contrat que tu me demandes de signer alors ?

J'étais un peu déboussolée. Si ce n'était pas une erreur, et cela n'en était manifestement pas une, cela signifiait que j'étais embauchée ? Et que personne ne m'avait rien dit ?

— Bah c'est ton contrat de travail, je viens de te le lire, tu veux qu'on le relise ensemble ?

C'était donc ça. Je tombais des nues. Je ne m'y attendais pas le moins du monde. J'avais poussé comme une herbe folle, abandonnée par Mathilde quatre jours sur cinq, et je devais partir dans quelques jours. Elle n'avait jamais pris le temps de faire un point sur ma situation, ni de venir me parler de l'avenir, et elle m'envoyait signer un papier sans aucune annonce officielle. Sur le coup, j'étais tellement surprise que je mis du temps à éprouver la satisfaction qui aurait dû accompagner ce moment. Mon interlocutrice relut le document à une vitesse intelligible, et je partis avec le document pour l'étudier à mon bureau avant de le signer. Il fallait d'abord que j'appelle mes parents pour les prévenir, et que j'en parle avec Mathilde.

15.

Trois jours avant la fin de mon stage, je m'apprêtais donc à signer mon premier contrat de travail. Je n'avais pas particulièrement envisagé de rester avant cette proposition, je m'étais imaginé chercher un boulot un peu laborieusement, comme la grande majorité de mes amis, et finir par trouver au bout d'un certain temps. En fin de compte, j'étais très contente d'avoir eu cette chance.

Il fallait donc que j'appelle le responsable d'Ali, Farid, et Alain, pour lui annoncer que j'aurais besoin de ses services plus longtemps que prévu.

— Félicitations ! C'est une bonne nouvelle !

— Merci.

— Mais si je comprends bien, vous ne serez plus étudiante ?

— Euh bah non, je serai salariée.

— Parce que là vous m'aviez envoyé une convention de stage, donc j'étais payé directement par le STIF, puisque c'était considéré comme un déplacement scolaire. Mais là c'est embêtant, parce que du coup ils ne pourront plus prendre en charge vos déplacements, vous changez complètement de système.

Je ne savais pas vraiment quoi répondre. Je n'avais jamais envisagé que le fait que je trouve un travail puisse me poser problème.

— Mais du coup ça va se passer comment ? Je dois faire quoi ?

— Bah moi je peux vous faire un devis à votre nom, et puis vous pouvez toujours demander au STIF comment les autres personnes dans votre cas s'y prennent…

— Ah… d'accord, on fait comme ça. J'attends votre devis alors.

Deux heures plus tard, il m'écrivit sur ma boîte mail.

« Suite à notre conversation téléphonique, vous trouverez le devis en PJ. Cdt, Christophe Rossignol. »

J'ouvris la pièce jointe, et je crus à nouveau qu'il s'agissait d'une erreur.

Transport aller-retour quotidien : 220 €/jour.

Je fis un rapide calcul. Si je devais me rendre à l'agence en moyenne 21 jours par mois, cela me coûterait aux alentours de 4 500 euros. Par mois. C'était presque trois fois mon salaire. Le simple fait d'aller travailler m'endetterait.

★

J'ai rappelé Monsieur Rossignol pour lui demander de m'éclairer sur sa tarification, il m'a assuré que ses prix étaient plutôt plus bas que ses concurrents, et qu'en me transportant pendant toutes mes études, le STIF m'avait fait un joli cadeau.

J'ai alors appelé le STIF pour trouver une alternative. Mon contrat commençait le lundi suivant, et nous étions déjà mercredi. Une femme qui avait l'air de détester la vie finit par prendre mon appel, et je lui exposai ma situation, en lui demandant comment avaient fait les autres personnes qui s'étaient retrouvées dans le même cas que moi, et lui demander comment réagir.

— Les autres ? Oh bah vous savez, souvent, quand même, les gens ils vivent avec les allocations, hein. On vit bien avec les allocs !

— Non, mais moi j'ai trouvé un job ! Je commence dans trois jours et je n'ai absolument aucun moyen de me déplacer ! Je fais comment ?

— Bah, votre employeur, c'est dans le secteur public ? Y a peut-être des solutions de transport groupé pour les employés ?

— Non, c'est une boîte privée, je travaille dans une agence de pub.

— Ah bah alors là, je sais pas du tout moi, je crois qu'il faut que vous alliez voir directement avec les ressources humaines pour qu'ils vous paient votre transport, je sais pas du tout comment ça peut fonctionner.

J'étais atterrée. Je n'en revenais pas qu'elle ait osé me dire que je ferais mieux de rester chez moi au lieu de travailler. C'était exactement tout ce que je détestais. Je n'avais pas lutté toute ma vie pour rester dans un cursus valide et exigeant pour qu'on me dise au moment où j'avais trouvé un job de rester chez moi et attendre que la vie passe. C'était inenvisageable. Il fallait que je trouve une solution.

J'étais un peu gênée d'aller voir les RH pour leur demander de l'argent. J'avais été embauchée comme toutes les personnes valides de la boîte, parce que je le méritais. Et je n'avais pas envie de leur rappeler mon handicap de manière aussi grossière, pour une histoire d'argent. Mais je n'avais pas le choix. C'était ça, ou alors je restais effectivement chez moi.

J'expliquai mes malheurs à Carole, la femme qui m'avait fait signer mon contrat quelques jours auparavant. Elle avait l'air encore plus désorientée que la femme du STIF. Évidemment, elle non plus n'avait jamais eu affaire à ce cas de figure. Sa réponse eut le mérite d'être claire, et je compris immédiatement que je n'étais pas sortie de l'auberge :

— Je peux te rembourser 50 % de ton Pass Navigo.

J'avais envie de mettre ma tête dans mes mains et de soupirer de toutes mes forces. Elle n'avait même pas conscience du fait que je ne pouvais pas prendre les transports en commun. Je n'arriverais jamais à lui extorquer 4 500 euros par mois. M'embaucher allait à elle aussi lui coûter de l'argent.

★

Vendredi, mon dernier jour de stage, la veille du week-end où je devais commencer à travailler en tant qu'employée, je n'avais toujours pas trouvé de solution. J'étais tombée dans une faille énorme du système. Pendant plus de quinze ans, on m'avait offert un moyen de transport pour aller étudier. On avait investi sur moi, à grands frais. Et aujourd'hui, j'étais diplômée, j'avais réussi à aller là où j'avais toujours rêvé d'aller, dans une entreprise prestigieuse, loin de ce à quoi m'aurait prédestinée le centre pour enfants handicapés, et je m'apercevais qu'il n'y avait aucun moyen de continuer ma route.

Je n'avais pas envisagé de rester quelques jours plus tôt, mais faire demi-tour maintenant, alors que j'étais tout près du but, pour une histoire matérielle, cela sonnait comme le pire des échecs.

J'avais réussi à négocier quelques jours, le temps de trouver une solution, mais je savais que plus le temps passait, plus je perdais de la valeur pour eux, et que si je tardais trop, ils finiraient par embaucher quelqu'un d'autre…

Mais étonnamment je n'étais pas inquiète. Et cela n'aurait de toute façon pas arrangé les choses. Je retomberais bien sur mes pieds, et si ce n'était pas dans cette agence, cette fois-ci, ce serait ailleurs, plus tard. J'avais déjà connu tellement d'autres situations compliquées, qui semblaient sans issue, j'étais sûre de finir par rebondir à nouveau.

Quelle autre alternative ? Je me demandais ce que j'allais faire de ma vie. Est-ce que si j'allais vivre dans un autre pays les choses seraient plus simples ? Fallait-il que j'envisage un autre

métier? Un métier encore plus statique?
Derrière un bureau encore plus imposant? Je
repensai à mes rêves de petite fille. À la trapéziste. Et je me dis que finalement, c'était exactement ce que j'étais devenue. Une trapéziste,
suspendue dans le vide entre deux trapèzes,
m'accrochant malgré la gravité et les limites
de mon corps, attendant sereinement la stabi-
lité prochaine, en prenant garde de ne surtout
jamais regarder le vide.

Je crois que ce livre est achevé, mais mon éditeur n'est pas tout à fait d'accord avec moi. Il veut une Fin avec un F majuscule, je préfère clore un chapitre qui se trouvera être le dernier.

— Il manque quelque chose, un dénouement. Vous terminez sur un détail trop matériel, trop anecdotique.

Mais le handicap est dans les détails. On n'est jamais handicapé dans l'absolu. On est handicapé devant une marche, devant une chaise qu'on ne peut tirer, devant un bouton d'ascenseur trop haut, ou devant le fait de vouloir sortir quand on veut, aller où on veut.

— Il faut que vous refermiez la porte.

Mais je ne parviens pas à l'achever autrement. Tout d'abord, c'est très difficile de tirer une porte derrière soi quand on est en fauteuil. C'est physiquement impossible. Et puis cette tranche de vie que je viens de partager est en perpétuelle évolution. Elle ne souffre pas de point final. Je n'ai que vingt-quatre ans, tout est en suspens, et je ne sau-rais clore de manière apothéotique un récit qui se veut – plus ou moins – authentique.

Avant-hier j'étais étudiante, j'ai commencé à écrire un livre. Hier on me proposait de travailler dans la publicité. Aujourd'hui, je termine ce livre, et demain je suis chef d'entreprise.

Ah oui, j'ai peut-être oublié de le préciser, mais je n'ai finalement pas signé chez Carrousel. Ni dans aucune autre agence d'ailleurs.

J'ai créé mon entreprise, inventé mon propre poste, et défini mes propres besoins de déplacement. J'ai décidé de faire germer toutes ces expériences plus ou moins heureuses de mobilité réduite, et de faire, plutôt que d'attendre. Alors j'ai créé le premier site qui permet aux personnes en fauteuil de louer des voitures aménagées, entre particuliers.

« Oh mais ça alors c'est formidable ! Quel courage ! Quelle volonté ! Avoir un handicap et entreprendre, c'est vraiment extraordinaire. Vous devriez écrire un autre livre ! »

Le problème, c'est que je ne vis toujours rien d'extraordinaire. Je suis juste en fauteuil roulant depuis que je suis petite. Et si toutes les personnes handicapées de France devaient écrire non pas un, mais deux livres…

Composition réalisée par Belle Page

Cet ouvrage a été imprimé en France
par CPI
en novembre 2015

N° d'édition : 19131 - N° d'impression : 2019333
Première édition, dépôt légal : mars 2015
Nouveau tirage, dépôt légal : novembre 2015